91 Truques MATEMÁTICOS legais

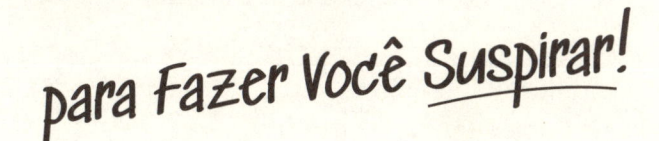

para Fazer Você Suspirar!

aNNa CLayBOURNE

91 Cool Maths Tricks to Make You Gasp!
Copyright © Arcturus Holdings Limited

Os direitos desta edição pertencem à
Pé da Letra Editora
Rua Coimbra, 255 - Jd. Colibri
Cotia, SP, Brasil
Tel.(11) 3733-0404
vendas@editorapedaletra.com.br
www.editorapedaletra.com.br

Esse livro foi elaborado e produzido pelo

Autora: Anna Claybourne
Tradução e Coordenação Fabiano Flaminio
Ilustrações Josephine Wolff
Design Nathan Balsom
Diagramação Adriana Oshiro
Revisão Larissa Bernardi

☎ (11) 93020-0036

Impresso no Brasil, 2021

Dados Internacionais de Catalogação na Publicação (CIP)
Angélica Ilacqua - CRB-8/7057

Claybourne, Anna
   91 Truques matemáticos legais para você suspirar! / Anna Claybourne ; ilustrado por Josephine Wolff ; tradução de Fabiano Flaminio. -- Brasil : Pé da Letra, 2021.
128 p. : il., color.

ISBN: 978-65-5888-207-7
Título original : 91 Cool Maths Tricks to Make You Gasp!

1. Matemática I. Título II. Flaminio, Fabiano

21-1683   CDD 372.7

Índices para catálogo sistemático:
1. Matemática

Todos os direitos reservados. Nenhuma parte desta publicação pode ser reproduzida, armazenada em um sistema de recuperação ou transmitida, de qualquer forma ou por qualquer meio, eletrônico, mecânico, fotocopiador, de gravação ou outro, sem autorização prévia por escrito, de acordo com as disposições da Lei 9.610/98. Qualquer pessoa ou pessoas que pratiquem qualquer ato não autorizado em relação a esta publicação podem ser responsáveis por processos criminais e reclamações cíveis por danos. Esta editora empenhou-se em contatar os responsáveis pelos direitos autorais de todas as imagens e de outros materiais utilizados neste livro. Se, porventura, for constatada a omissão involuntária na identificação de algum deles, dispomo-nos a efetuar, futuramente, os possíveis acertos.

O que é STEM?
A STEM é uma iniciativa mundial que visa cultivar o interesse pela Ciência, Tecnologia, Engenharia e Matemática em um esforço para promover estas disciplinas para o maior número possível de estudantes.

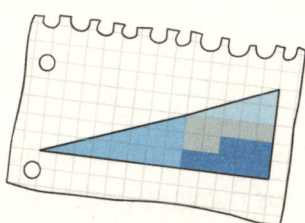

SUMÁRIO

Introdução 4

1 Formas 6

2 Padrões e Sequências 26

3 Truques de Perplexidade 46

4 Matemática Mágica 66

5 Curioso e Curioso 86

6 Engane seus amigos 106

Glossário 126

INTRODUÇÃO

Se você quer descobrir todo tipo de truques matemáticos, jogos, desafios e mistérios, você não pode deixar de ler esse livro. Você não vai acreditar nas coisas incríveis que os números podem fazer!

O que é matemática?

Você sabe o que é matemática quando você faz isso na escola – mas, o que realmente significa?

A matemática é a ciência dos números, da medição e do cálculo. Não é apenas uma matéria escolar - é usada em todos os tipos de ciência e é muito importante na vida cotidiana também. Aqui estão algumas tarefas diárias nas quais a matemática é importante:

Nossos sistemas de dinheiro, que permitem que as pessoas comprem coisas, economizem ou sejam pagas...

Medir as coisas, de modo que possamos construir casas que não sejam instáveis, ou misturar os ingredientes corretos para fazer um bolo ...

Marcação de datas e horários, para que saibamos quando estamos fazendo as coisas...

Descobrir ângulos e direções, de modo que possamos fazer coisas como garantir que uma nave espacial chegue à Lua...

Adicionar etiquetas às coisas, para que possamos encontrar o endereço certo, ônibus ou tamanho de sapato.

A matemática faz sentido para todos ao redor do mundo, porque os números funcionam da mesma forma básica em todos os lugares.

Mas, quanto mais você olha para o mundo dos números, mais misteriosas e mágicas são as coisas que você encontra. Como você pode cortar uma tira de papel em duas para que ainda haja apenas um pedaço? Como você faz um quadrado aparecer do nada? Qual é o segredo para desenhar uma estrela perfeita? Como você pode fazer um pedaço de papel criar um código impossível (quase!) de quebrar, ou enganar seus amigos para que pensem que você pode ler suas mentes?

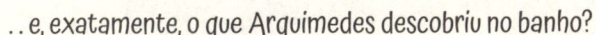

...e, exatamente, o que Arquimedes descobriu no banho?

Este livro é recheado de truques legais e magia matemática, tudo projetado para explodir sua mente. Primeiro, tente resolver os enigmas – então, use-os para confundir seus amigos e familiares!

Capítulo 1: Formas

O MISTERIOSO QUADRADO AUSENTE

Para nosso primeiro truque, vamos fazer um quadrado aparecer e desaparecer – do nada! Uma vez que você tenha descoberto como funciona, experimente com seus amigos e familiares.

O truque

Primeiro, observe este quebra-cabeças triangular, composto de quatro formas menores. Está sobre um fundo quadrado, para que você possa ver exatamente quantos quadrados são longos e altos em cada peça.

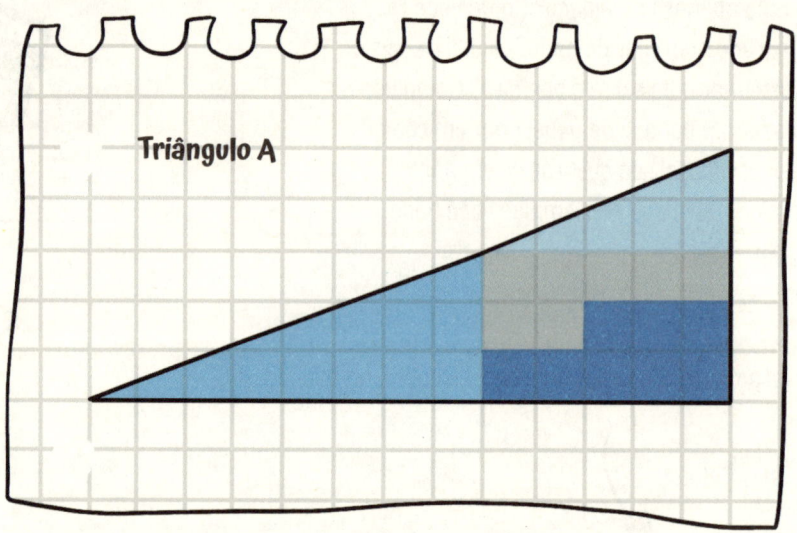

Triângulo perfeitamente normal - nada para ver aqui!

Entendeu? Agora olhe para o triângulo abaixo. É feito EXATAMENTE DAS MESMAS FORMAS, reordenadas. A altura e o comprimento do triângulo são os mesmos. Todas as peças também são as mesmas. E ainda ... este triângulo tem um quadrado que não está preenchido! Como isso aconteceu?

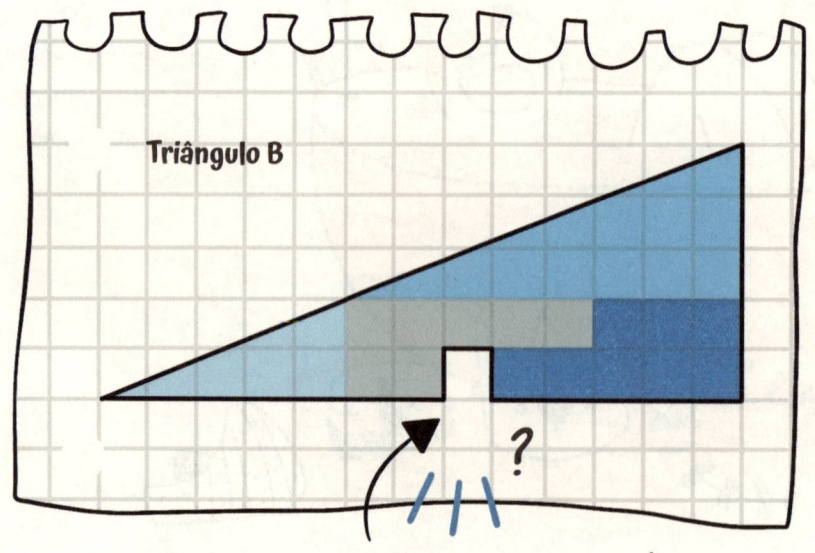

Espere ... há um quadrado na reserva!

O que está acontecendo?

Então, como funciona? Bem, na verdade, nós mentimos. NÃO são triângulos normais - na verdade, não são triângulos de forma alguma. Se você segurar uma régua ao lado da borda longa e inclinada de cada triângulo, você verá que não é uma linha reta. No triângulo A, ela desce ligeiramente onde a peça 1 encontra a peça 2. Mas, quando as peças são rearranjadas para fazer o triângulo B, a linha fica ligeiramente para cima.

A diferença é muito pequena, portanto, ambos os triângulos parecem normais à primeira vista. Entretanto, devido à diferença entre eles, o triângulo B é um quadrado maior que o triângulo A.

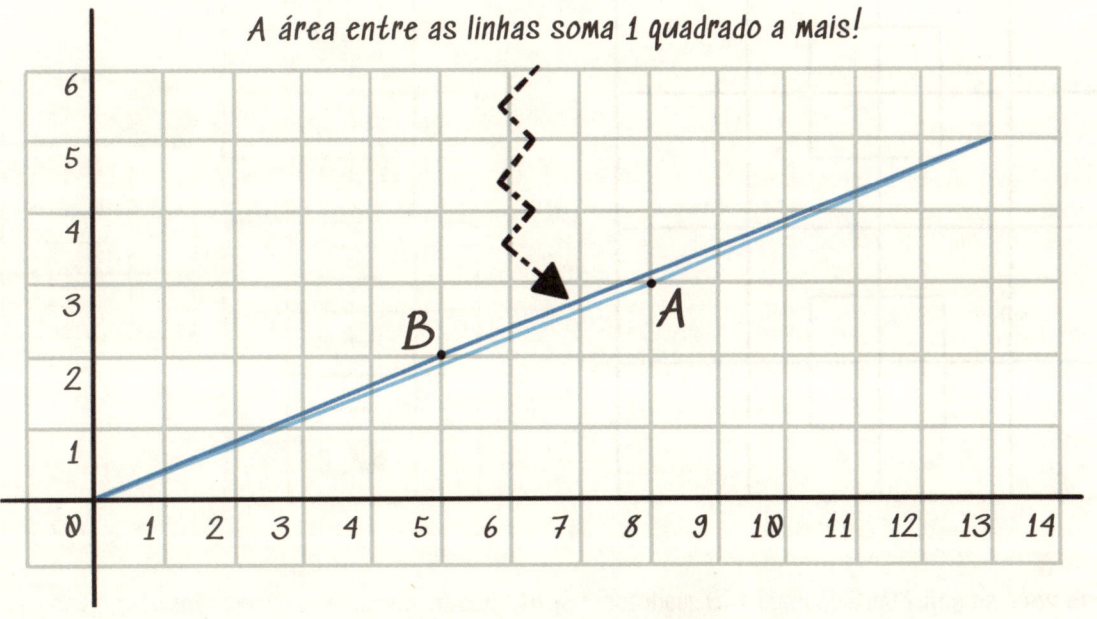

A área entre as linhas soma 1 quadrado a mais!

Você sabia?

Para enganar seus amigos, você pode realmente desenhar as formas em papel gráfico, cortá-las e, depois, arranjá-las em outro pedaço de papel gráfico. Quando você as reordena, o quadrado extra aparece!

QUANTOS QUADRADOS?

Este truque é bem simples. Tudo que você tem que fazer é contar os quadrados!
Quão difícil pode ser?

O truque

Olhe para esta foto e conte quantos quadrados você pode ver. Leve o tempo que quiser. Você poderia pedir a um amigo ou parente para tentar também. Escreva suas respostas e, depois, compare-as.

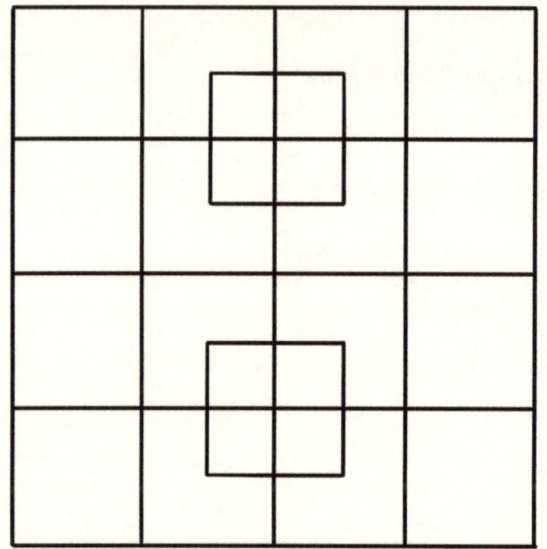
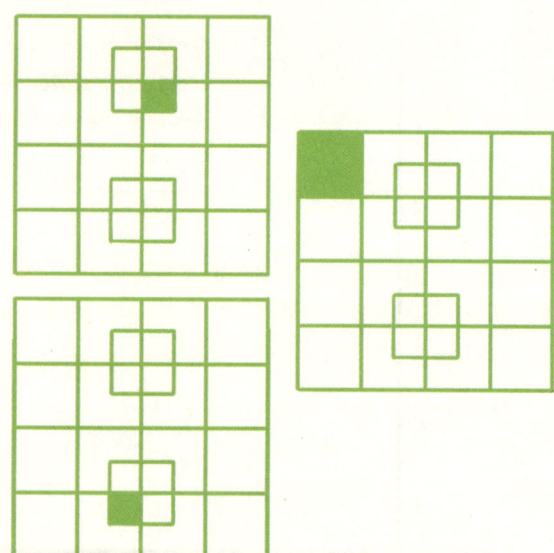

Como você se saiu? Você conseguiu 40 quadrados? Se não, não se preocupe - a maioria das pessoas não o faz. (Mas se você conseguiu 40 quadrados, bem, você é um gênio matemático!)

O que está acontecendo?

Enigmas como este podem facilmente enganá-lo, porque você pode não notar que as linhas na imagem formam quadrados maiores e escondidos, bem como quadrados menores.

Os pequenos quadrados são fáceis de identificar...

Mas, é preciso contar também os quadrados médios.

Não se esqueça do quadrado grande por fora!

QUANTOS TRIÂNGULOS?

Agora que você já sabe o que fazer, contar esses triângulos deve ser fácil.

O truque

Aqui está sua foto. Quantos triângulos você pode contar? Parece simples, mas tome cuidado - é mais difícil do que parece!

Se você estiver com dificuldades, tente começar com o triângulo de menor tamanho. Conte-os, depois procure o próximo tamanho para cima, e o próximo tamanho para cima, e assim por diante. Com este método, se você o fizer com cuidado, deve encontrar 24 triângulos no total!

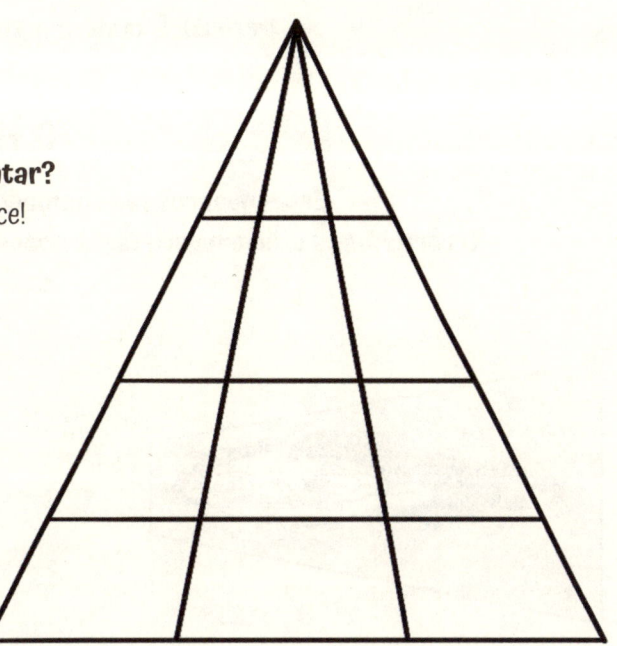

O que está acontecendo?

Algumas pessoas acham este quebra-cabeças ainda mais difícil que o quadrado! Não só é difícil identificar todos os triângulos, como também é complicado saber quais já foram contados. Se você quiser ter certeza (e tiver o dia todo!), tente desenhar a forma muitas vezes, e sombrear cada triângulo separadamente.

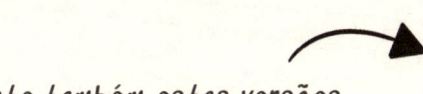

Tente também estas versões

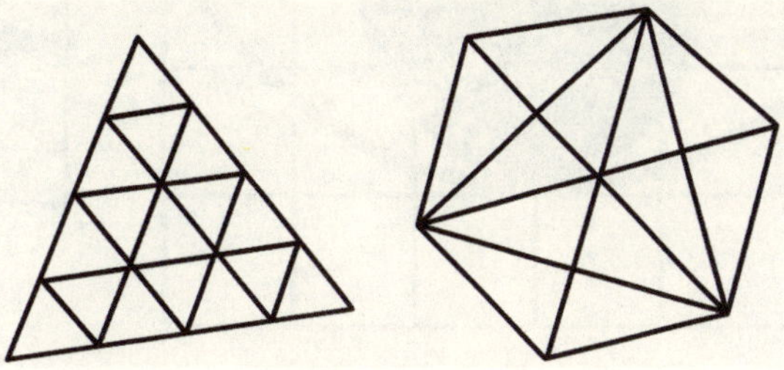

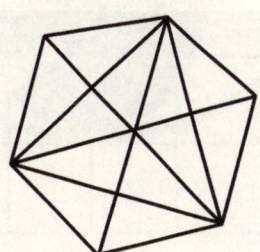

FORMA ESTICADA

Este truque usa princípios matemáticos para fazer um desenho esticado inteligente. Quando você olha para ele do ângulo certo, você vê uma imagem perfeita! É onde a matemática encontra a arte.

O truque

Estes quadros são chamados de desenhos "anamórficos".
Os artistas os utilizam para fazer imagens ocultas e desenhos com truques em 3D.
Aqui está um exemplo...

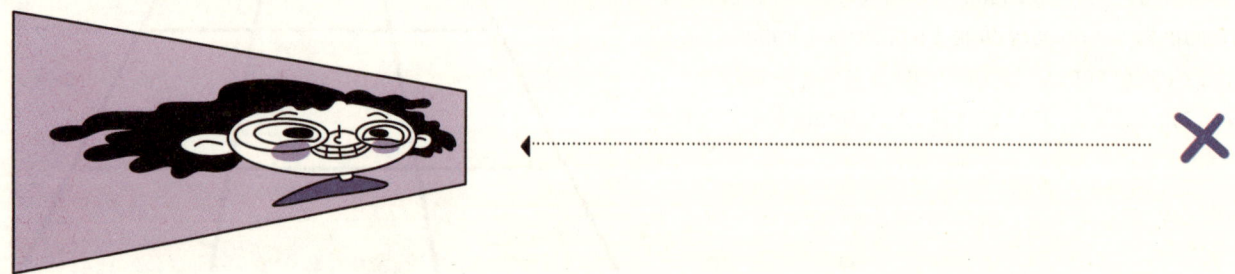

Este quadro parece esticado e distorcido. Mas, coloque um olho perto da marca X na página e olhe para ele novamente. A imagem parece normal! Experimente o truque você mesmo - você precisará de duas grades, como as abaixo: uma esticada e uma normal. Você pode copiar ou rastrear estas grades, ou desenhar a sua própria.

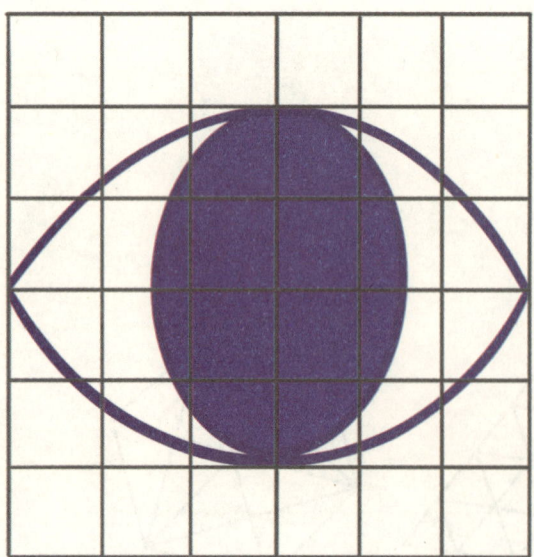

Na grelha quadrada, desenhe sua imagem normalmente. Em seguida, copie sua figura na grade esticada. Copie um quadrado de cada vez, esticando as linhas e formas para caber, assim:

Finalmente, trace sua imagem esticada em papel comum. Se você quiser, faça uma sombra. Quando olhar de uma ponta, você verá a imagem normalmente!

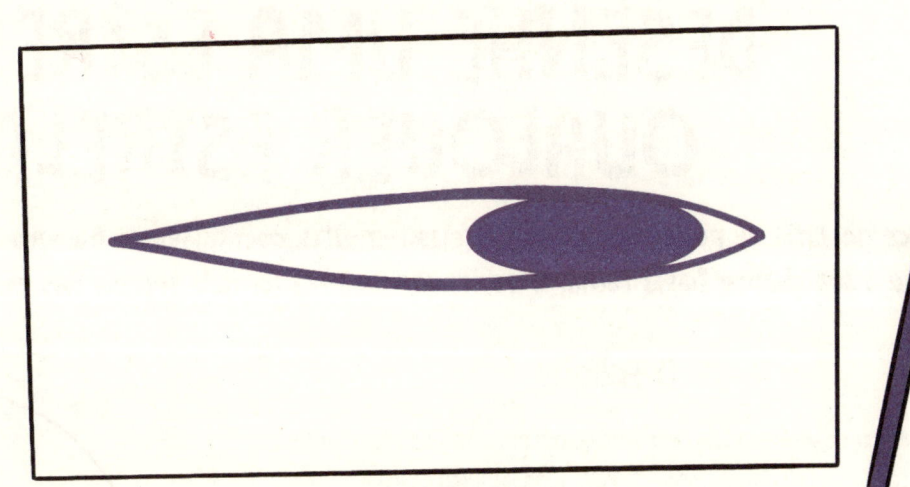

O que está acontecendo?

Como você sabe, as coisas que estão mais distantes parecem menores. Se você faz um desenho que fica maior e mais esticado em uma extremidade, isso compensa o efeito de "encolhimento". Assim, quando você olha para ele do ângulo certo, as partes esticadas parecem menores, e ele parece normal.

Agora tente isto!

Se você desenhar uma bola em um pedaço de papel, deste modo, então, olhe para ela da extremidade, ela parecerá uma bola 3D que está flutuando! Corte a metade superior da bola e acrescente uma sombra por baixo para torná-la ainda mais convincente.

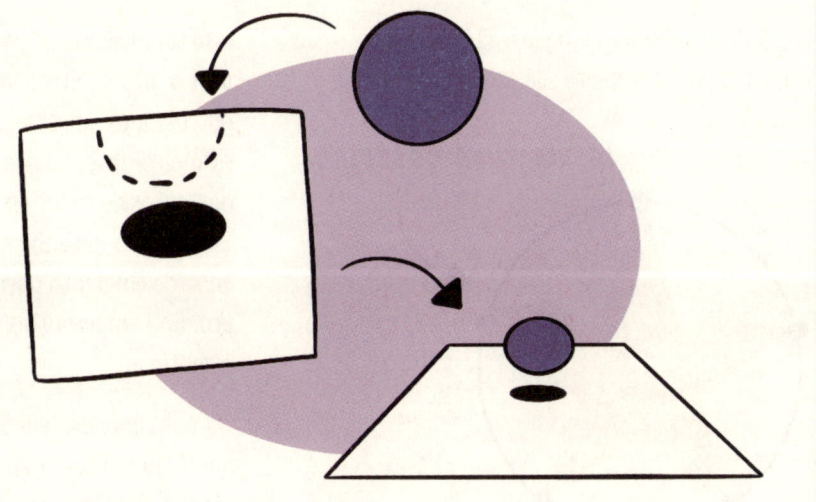

11

DESENHE UMA ESTRELA, QUALQUER ESTRELA!

Você gostaria de poder desenhar estrelas perfeitas, com qualquer número de pontas? Bem, agora é a sua chance! Basta tentar este truque fácil – a fórmula secreta das estrelas matemáticas.

O truque

Primeiro, desenhe um círculo usando um compasso ou traçando em torno de um objeto circular. Para uma simples estrela de cinco pontas, desenhe cinco pontos ao redor da borda do círculo, espaçados uniformemente.

Agora, comece com um ponto e desenhe uma linha para o próximo - como mostrado abaixo. Continue usando o mesmo padrão, desenhando uma linha para o ponto seguinte, mais um ponto, até voltar ao ponto de partida.

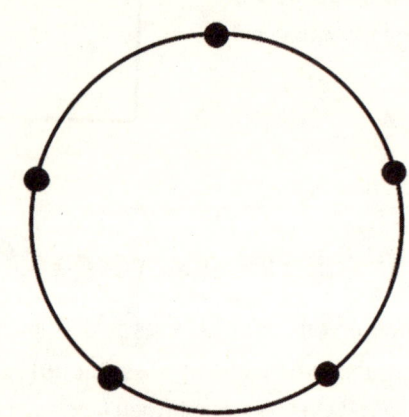

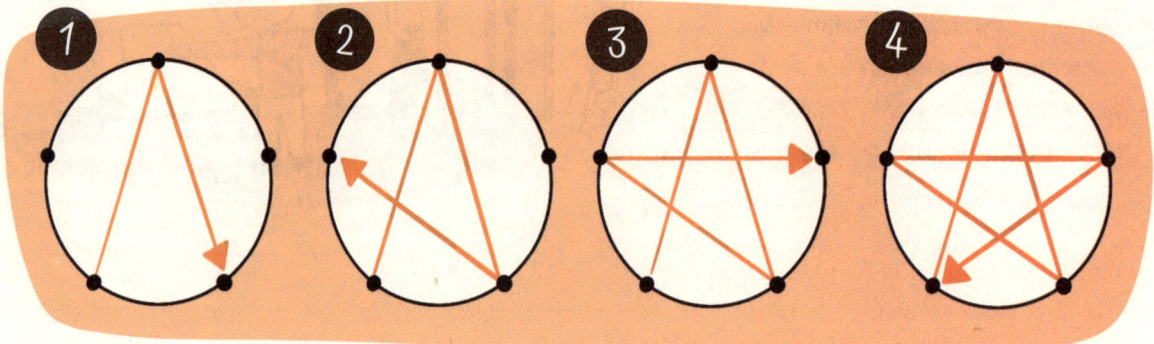

Finalmente, apague o círculo e as linhas que você não quiser, ou pinte sua estrela terminada.

Ta-da, uma estrela!

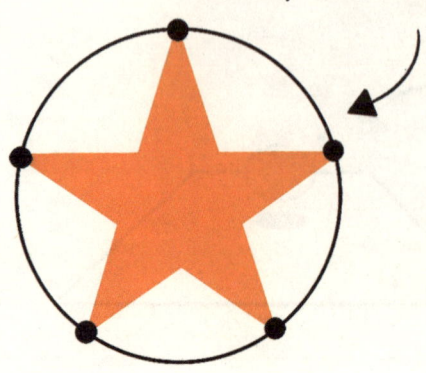

Isso foi fácil! Mas, fica melhor - você pode usar o mesmo método para desenhar outros tipos de estrelas também. Primeiro, desenhe qualquer número de pontos ao redor do círculo. Em seguida, desenhe uma linha de um ponto para o próximo - mais um ponto e continue.

Ou, para uma estrela mais pontiaguda, você pode pular dois pontos de cada vez, ou três.

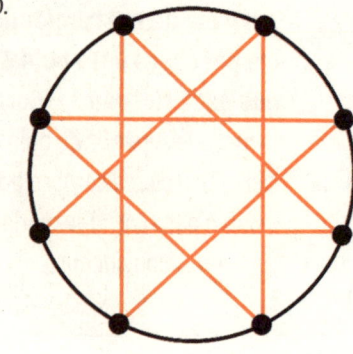

Se você voltar ao ponto de partida e a estrela não estiver terminada, basta começar de novo a partir de um ponto diferente, como este:

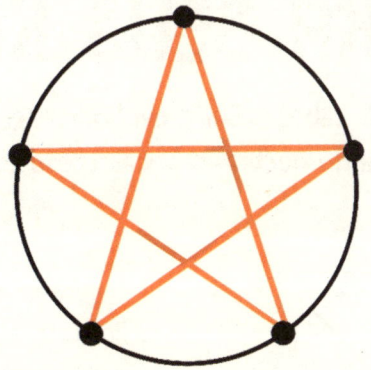
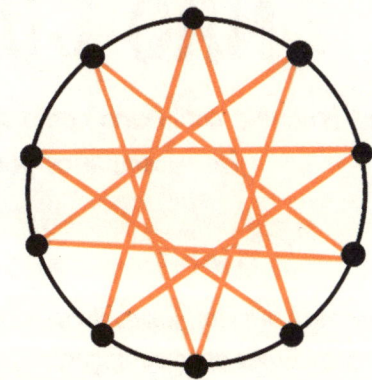

O que está acontecendo?

As estrelas são um tipo de polígono - uma forma matemática com lados retos.
Se você sempre contar o mesmo número de pontos ao redor do círculo ao desenhar suas linhas, os pontos da estrela terão sempre o mesmo ângulo e ela parecerá perfeita.

Use suas estrelas em desenhos e decorações, ou para fazer móbiles.

NÃO CUBRA SEUS RASTROS!

Este truque é conhecido como quebra-cabeças Euler, em homenagem ao gênio suíço Leonhard Euler. Ele passou anos ponderando quebra-cabeças como estes nos anos 1700.

O truque

Aqui está um simples quebra-cabeça Euler para começar, conhecido como uma casa Euler. Seu desafio é desenhar esta forma em um pedaço de papel. Fácil, certo? Mas, espere! Você deve desenhá-la como uma linha contínua, sem levantar o lápis do papel, e não pode traçar a mesma linha duas vezes. (É permitido traçar linhas cruzadas!)

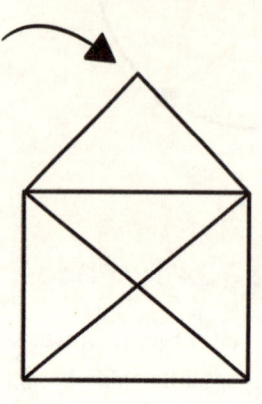

Você conseguiu? Pode ser feito. Desde que você comece de um canto inferior e termine no outro, há várias maneiras de fazê-lo. Aqui está uma:

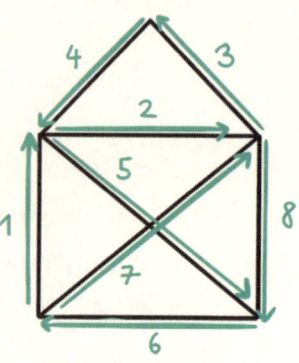

OK, agora tente este... É um pouco mais difícil, não é? Na verdade, é impossível!

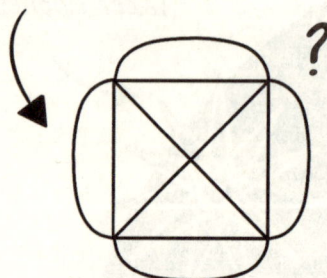

Aqui estão mais alguns para tentar. Você pode dizer, olhando para eles, quais são possíveis?

O que está acontecendo?

Não se pode passar duas vezes sobre a mesma linha. Portanto, sempre que você chega a um cruzamento, deve sair ao longo de uma linha diferente. Isso significa que todos os cruzamentos pelos quais você passa devem ter um número par de linhas unindo-os. Somente os pontos de início e fim podem ter um número ímpar de linhas. Simples!

Aqui está um truque semelhante, mas este é um pouco mais sorrateiro.
Experimente com um amigo ou membro da família!

O truque

Desafie-os a desenhar um círculo com um ponto no meio sem levantar a caneta do papel.

Quando eles estiverem perplexos, mostre-lhes como!
Primeiro, desenhe o ponto, depois dobre a borda do papel para que ela toque o ponto.

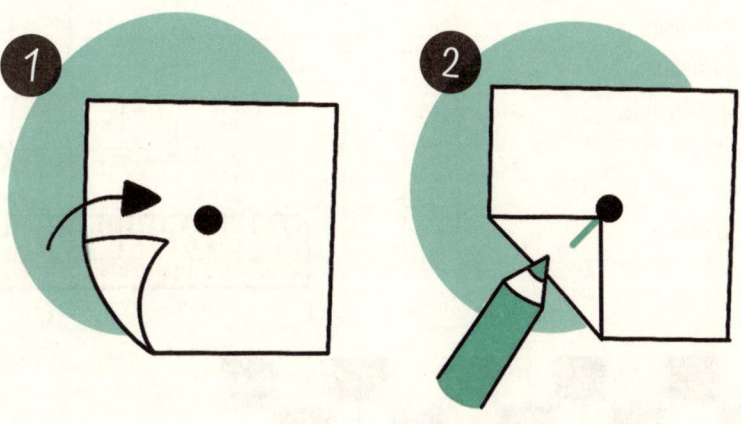

Desenhe no verso do papel até ficar um pouco distante do ponto, depois desdobre o papel e desenhe seu círculo!

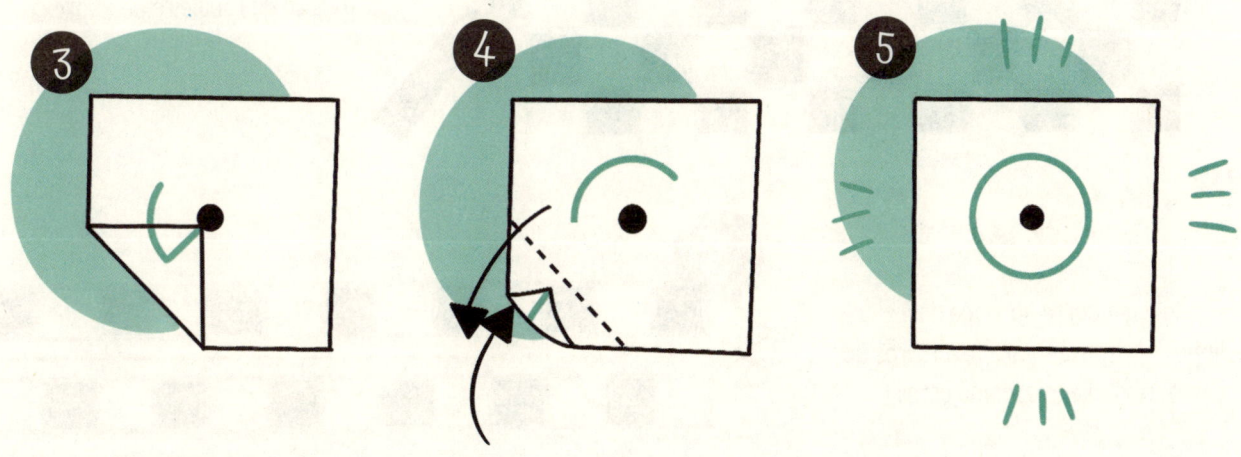

O que está acontecendo?

Pode parecer impossível - até que você se lembre que um pedaço de papel tem dois lados!
(Bem, exceto o pedaço de papel na página 50, mas isso é outra história...)

A CURIOSA PAREDE DO CAFÉ

Este truque bizarro transformará tiras retas de papel em tiras instáveis, diante de seus próprios olhos!

O truque

Primeiro, você precisa fazer um padrão de tabuleiro de xadrez. Pegue um pedaço de papel branco, depois, use uma régua e um lápis para desenhar linhas através dele, aproximadamente a cada 2,5 cm. Faça o mesmo para cima e para baixo do papel, para fazer uma grade.

Agora, faça uma sombra em cada outro quadrado com uma caneta preta ou marcador, como esta, para fazer um padrão de tabuleiro de xadrez.

Em seguida, corte ao longo das linhas horizontais para fazer tiras de tabuleiro de xadrez, como estas...

Por último, coloque suas tiras em cima de outro pedaço de papel que tenha uma tonalidade diferente. Organize-as de modo que os quadrados pretos formem linhas onduladas, como estas...

... e é assim que vai ser!

Quando você os colocar na posição correta, eles parecerão, de repente, inclinados e vacilantes - embora você saiba que não estão.

O que está acontecendo?

Este truque funciona devido à maneira como seu cérebro sente as linhas retas e diagonais. As torres inclinadas de azulejos fazem com que elas pareçam inclinadas onde se sobrepõem aos quadrados brancos. Como isto acontece o tempo todo, seu cérebro vê as linhas no meio como diagonais. Fazer tiras de tabuleiro de xadrez de verdade permite que você experimente a ilusão, e prove aos seus amigos que as linhas realmente são retas!

Você sabia?

Esta ilusão é conhecida como a "ilusão da parede do café". Ela recebeu esse nome por ter sido manchada, pela primeira vez, em uma parede real de um café, que foi coberta com azulejos neste padrão.

OS CÍRCULOS QUADRADOS

Quando você executar este truque sorrateiro, todos ficarão espantados por você realmente poder transformar dois círculos em um quadrado! Você precisará de duas tiras de papel, fita adesiva, tesoura – e conhecimentos matemáticos mágicos.

O truque

Primeiro, faça dois círculos de papel. Corte duas tiras de papel de cerca de 2,5 cm de largura e 20 cm de comprimento. Cole as extremidades de ambos os lados para fazer as alças.

Estes são seus dois círculos. Mostre-os ao seu público e diga-lhes que você pode transformá-los em um quadrado. Eles podem adivinhar como? Aposto que não!

Veja como fazer isso... Coloque os dois círculos juntos, em ângulos retos um ao outro, e cole-os com fita adesiva em ambos os lados da junção.

Agora, pegue sua tesoura e comece a cortar no meio de uma das alças. Corte ao redor até cortá-la em duas partes. Agora, você terá isto:

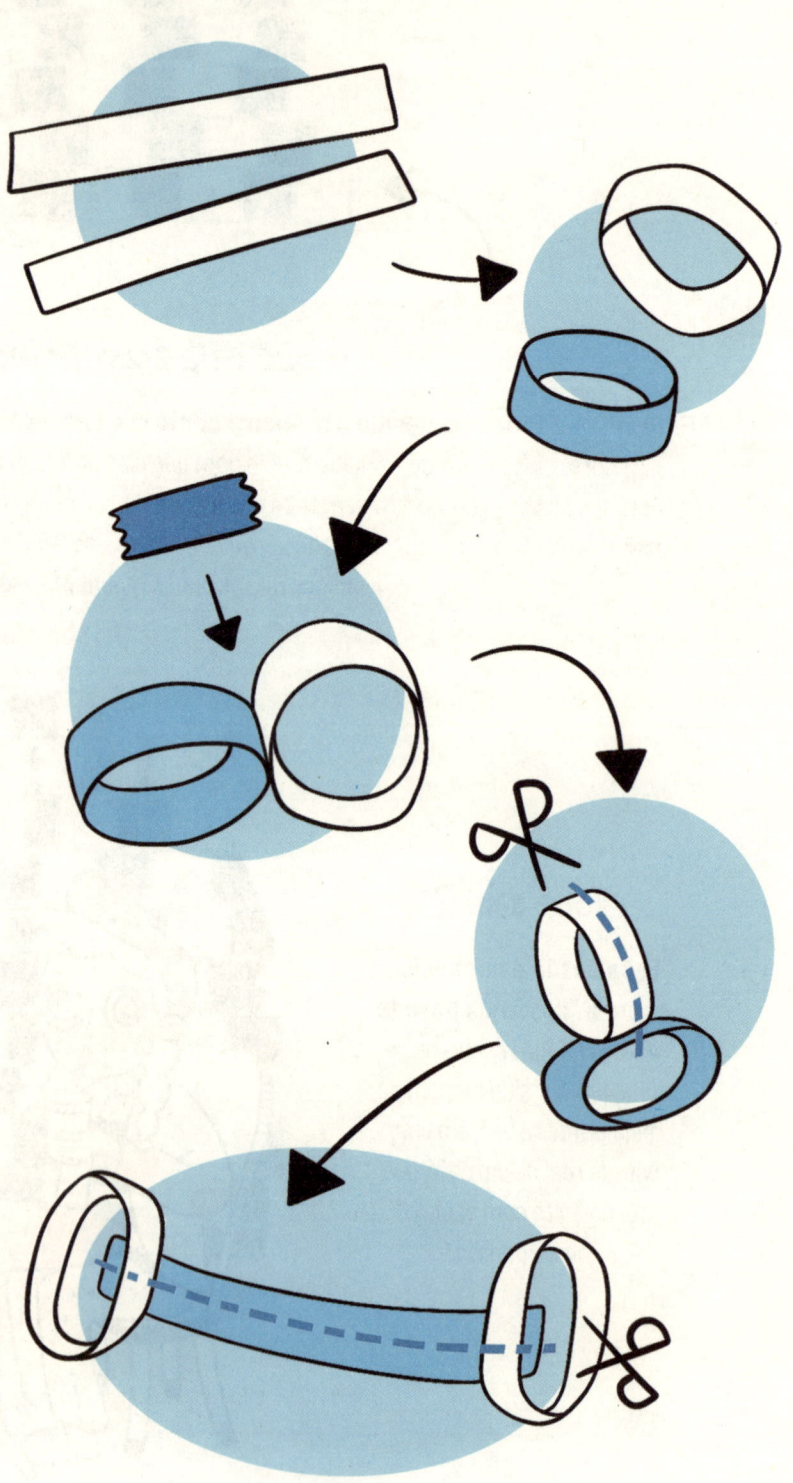

Finalmente, corte também no meio da outra faixa. E aí está seu quadrado!

O que está acontecendo?

Seus dois círculos não pareciam um quadrado, mas, uma vez que você os colou juntos, eles pareceram. A junção em ângulo reto fez quatro cantos quadrados - eles estavam apenas colados juntos. As tiras faziam lados retos – mas, eles eram enrolados em círculos. Ao cortar ao longo das tiras, você separou os cantos e os lados um do outro, e nasceu um quadrado!

ATRAVESSANDO O CARTÃO POSTAL

Para este próximo truque, mostre ao seu público um cartão postal totalmente normal e diga-lhes que você pode passar por ele. (Apenas certifique-se de que não é um cartão postal que alguém queira guardar!)

O truque

Muito em breve, todos pedirão para ver exatamente COMO você passará através de um cartão postal. Então, aqui está como fazer isso. (Você pode querer experimentar por conta própria, primeiro!)

Dobre seu cartão postal na metade do comprimento, com a foto no interior.

Pegue uma caneta e desenhe linhas no cartão postal dobrado. Copie a imagem com cuidado!

Agora, use uma tesoura para cortar com muito cuidado em todas as linhas. Certifique-se de não cortar além do final de cada linha.

Desdobre o cartão postal, depois, corte ao longo da dobra que você fez. Comece em um dos cortes mais próximos de uma das extremidades.

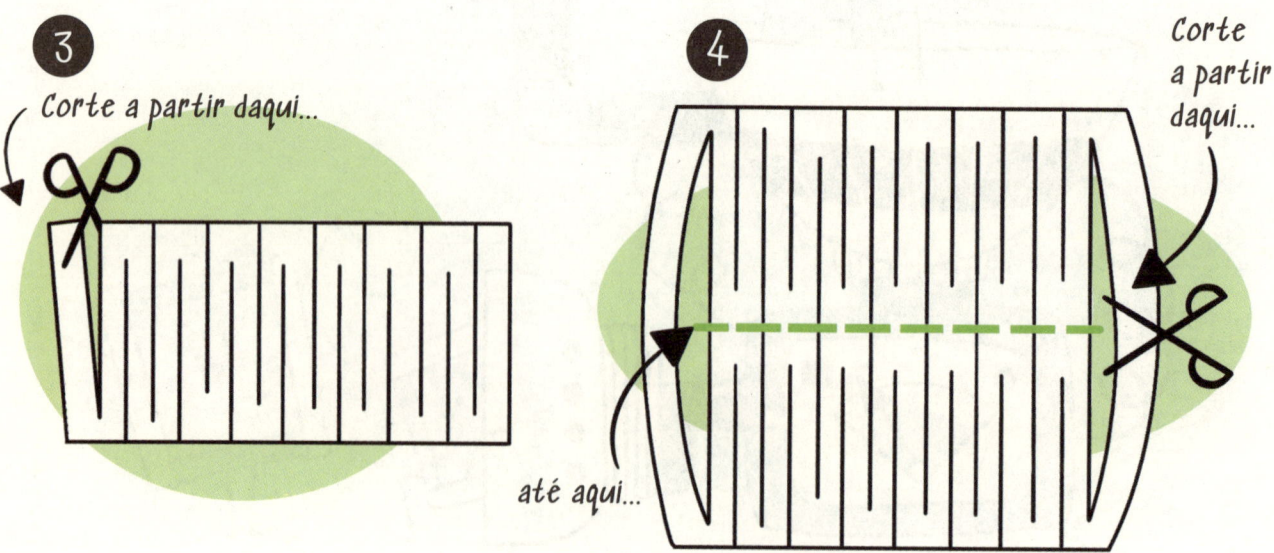

Corte a partir daqui...

Corte a partir daqui...

até aqui...

Abra cuidadosamente o cartão postal para formar um grande círculo...

...e passe por ele!

O que está acontecendo?

O padrão das linhas cortadas no cartão postal é basicamente um grande e longo ziguezague. Ele corta o cartão em uma tira longa, fina e contínua. Se você aproximasse as linhas, a tira seria mais fina, e ainda mais longa. Quão fina você acha que poderia fazer a tira, e quão grande você poderia fazer o círculo sem que ele se partisse? Experimente! (Se você tiver outro cartão postal de reposição).

DESENHE CÍRCULOS PERFEITOS

Como você pode desenhar um círculo sem um compasso? Matemática para o resgate!

O truque

O desenho de um círculo é útil para todos os tipos de projetos de arte. Você também pode usar este truque para desenhar parte de um círculo para fazer um arco-íris, por exemplo.

Tudo o que você precisa é de um pedaço de papel e um lápis. Segure o lápis como você normalmente faria para escrever. Em seguida, pressione o papel com a unha em seu terceiro dedo.

Levante o resto de sua mão, de modo que apenas uma ponta de dedo e o lápis estejam tocando o papel. Em seguida, use sua outra mão para girar o papel, enquanto segura o lápis e a ponta do dedo ainda. O lápis desenhará um círculo!

Para um círculo maior, use seu dedo mindinho, ou seu punho.

O que está acontecendo?

Cada ponto ao redor da borda de um círculo está à mesma distância do meio. Esta distância é chamada de raio.

Assim, manter uma distância fixa entre o lápis e a ponta do dedo e girar o papel ao redor da ponta do dedo produz um círculo! Um compasso também funciona dessa forma.

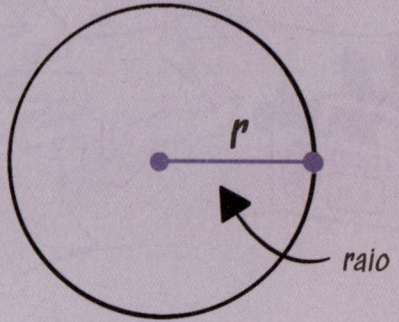

DESENHAR ESPIRAIS PERFEITAS

Aqui está outro truque engenhoso, desta vez, para desenhar uma espiral.

O truque

Primeiro, use uma régua e um lápis para desenhar uma linha de pontos através de seu papel, todos distantes 1 cm entre si...

1

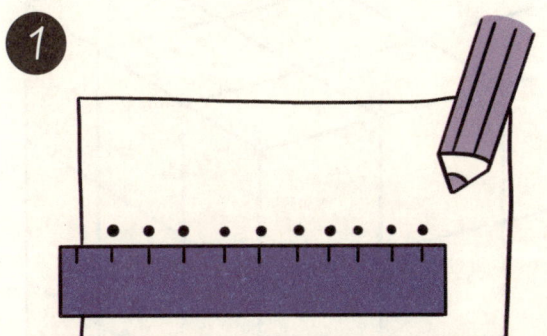

Comece no ponto central e desenhe um semicírculo, ou meio círculo, até o próximo ponto.

2

Agora, desenhe um semicírculo maior desse ponto para o próximo ponto, sem utilizar a outra direção.

3

Continue desenhando semicírculos para o próximo ponto oposto até que você tenha uma espiral!

4

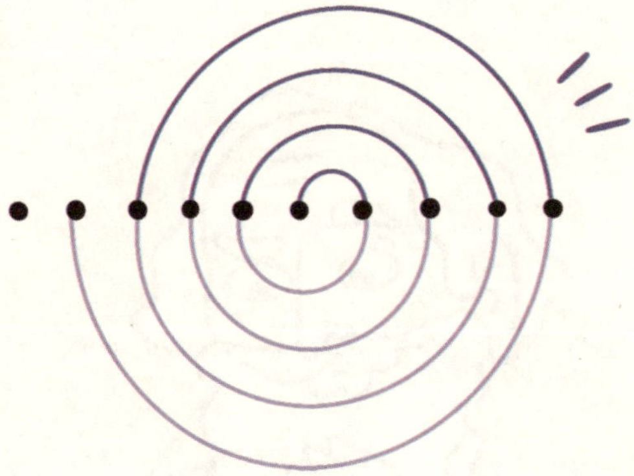

O que está acontecendo?

Corações podem ser difíceis de desenhar, mas a matemática está aqui para ajudar!

Basta desenhar dois círculos e um quadrado, sobrepondo um ao outro, assim:

Apague as partes que você não precisa, e aí está seu coração!

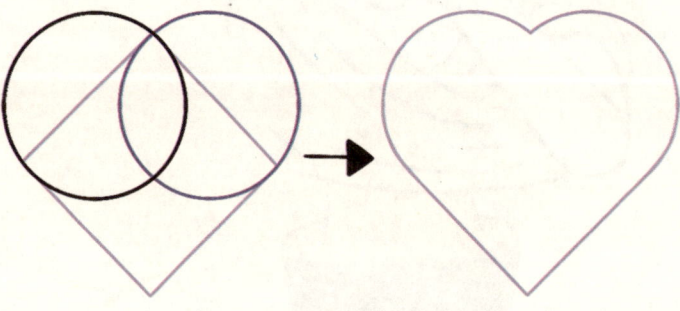

23

ENCONTRE O VOLUME

O volume nos diz a quantidade de espaço que um objeto 3D ocupa.
Nem sempre foi fácil descobrir o volume, até que um gênio incrível teve uma ideia brilhante!

O truque

Encontrar o volume de uma forma 3D é comum em matemática. É bastante fácil para uma forma regular e sólida como um cubo.

Este cubo tem 3 cm de altura, 3 cm de largura e 3 cm de profundidade (da frente para trás).

Para encontrar o volume, multiplicam-se juntos:

altura x largura x profundidade

3 cm x 3 cm x 3 cm

= 27cm³ ou 27 centímetros cúbicos

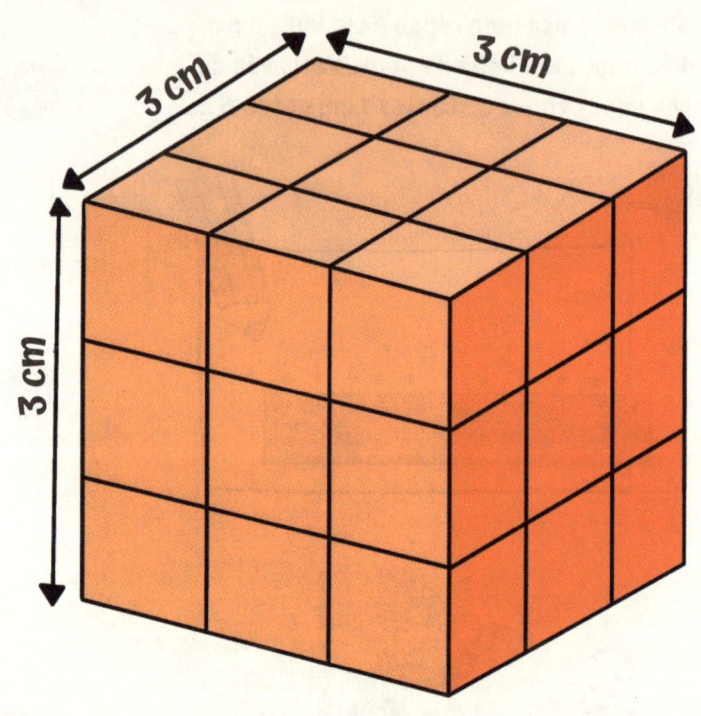

Mas, e quanto a uma forma mais complicada e realmente difícil de medir? Como você encontra o volume disso?

Há cerca de 2.200 anos, este mesmo problema era preocupante para o antigo inventor e cientista grego, Arquimedes, pois o rei lhe havia pedido que encontrasse o volume de uma coroa de ouro.

Segundo a lenda, Arquimedes tomou um banho. Ao afundar na água, ele viu o nível da água subir. "EUREKA" ele gritou (grego antigo para "Entendi!"). Ele tinha resolvido o problema!

Tudo o que ele tinha que fazer era jogar a coroa em alguma água e medir o quanto a água subia!

O que está acontecendo?

Arquimedes percebeu que quando entrou no banho seu corpo empurrou um pouco de água para fora - ou "deslocou-a".

Se Arquimedes enchesse uma panela com água até a borda e, depois, deixasse cair a coroa, ela empurraria um pouco de água sobre as bordas. A quantidade de água que ela deslocasse corresponderia ao volume da própria coroa. Então, ele poderia medir o volume da água que transbordou.

EUREKA!

Capítulo 2: Padrões e Sequências

TESSELAR COMO UM ESCHER

M. C. (ou Maurits Cornelis) Escher foi um famoso artista holandês que se inspirou na matemática.

Seus quadros incluem todos os tipos de ilusões e formas, especialmente as formas tesselantes. Estas são formas que se encaixam, ou tesselam, para que você possa usá-las para preencher exatamente um espaço.

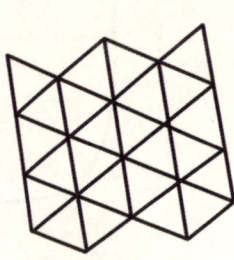 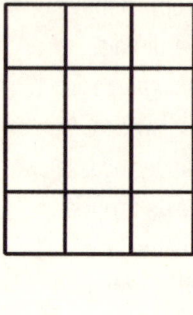 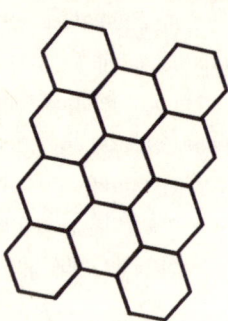

Muitas formas simples de tessela...

Mas, se você sabe como, você pode copiar o Escher e criar formas muito mais interessantes, como estas:

O truque

Veja aqui como projetar seus próprios azulejos tesselantes legais...

1 Primeiro, desenhe um quadrado ou retângulo básico sobre um pedaço de papel, usando uma régua para torná-lo reto e preciso. Use papel quadriculado ou gráfico, se você tiver algum. Recorte sua forma para fazer um azulejo.

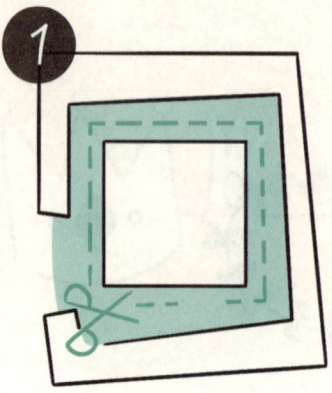

2 Desenhe uma linha ondulada ou recortada da borda superior até a borda inferior do azulejo. Corte ao longo da linha para dividi-la em duas partes.

Inverta as duas partes, e junte as duas bordas retas, assim.

Una as bordas com um pouco de fita adesiva. Em seguida, desenhe uma linha da esquerda para a direita.

Corte ao longo da linha, e inverta as duas peças ao redor para que as bordas planas se toquem.

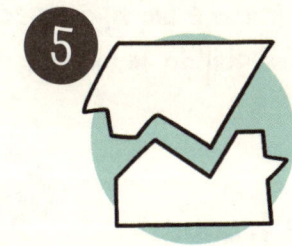

Cole a forma final com fita adesiva. Qualquer que seja a forma que você faça desta maneira, ela se tessela!

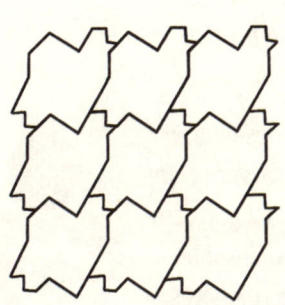

Para desenhar um padrão tesselante, faça uma forma tesselante a partir de papel grosso e desenhe em torno dele, como mostrado. Com a prática, você pode usar este método para fazer formas que se parecem com animais, letras ou outros objetos.

O que está acontecendo?

Para tesselar, os ladrilhos têm que se encaixar exatamente. Ao cortar novas arestas e colocá-las no lado de fora, você está dando a um lado de cada ladrilho uma forma que se encaixará perfeitamente no outro lado do próximo ladrilho.

Este é apenas o começo - a tesselagem pode ficar muito mais complicada! Por exemplo, você pode fazer duas formas diferentes que se tesselam juntas em um padrão?

ÁRVORES DE FRACTAL

Um fractal é um tipo especial de padrão matemático. Você pode continuar acrescentando a ele, seguindo as mesmas regras simples... o que dá alguns truques de fazer imagens legais!

O truque

Este fractal fácil é um bom ponto de partida.

Primeiro, desenhe um tronco de árvore com dois ramos. Agora, em cada ramo, desenhe dois galhos menores. E, em cada um desses ramos menores, desenhe mais dois ramos ainda menores ... e assim por diante!

Em pouco tempo, você tem uma árvore! Você pode, então, adicionar frutas, folhas, pássaros ou o que mais quiser.

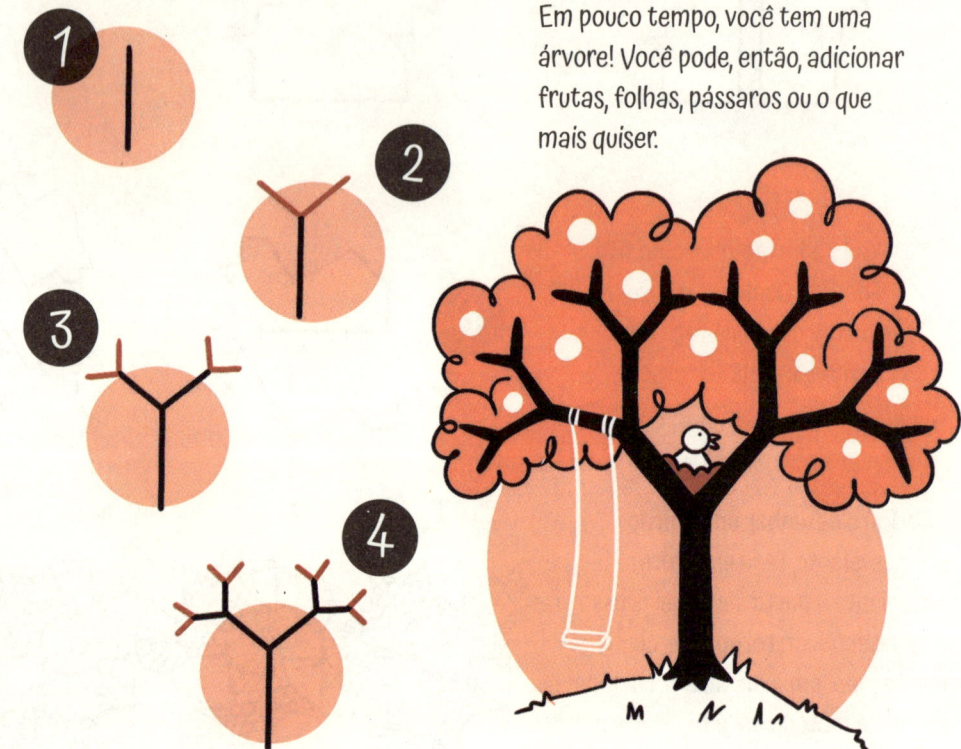

O que está acontecendo?

Em um fractal, cada parte da forma repete o mesmo padrão que a forma inteira. Se você tivesse espaço, você poderia continuar adicionando pedaços cada vez menores para sempre!

Você pode mudar as regras, desde que você as repita toda vez. E se você sempre acrescentar três ramos? E se você colocar um círculo em cada ponto de junção? Não há fim para os padrões que você pode fazer ...

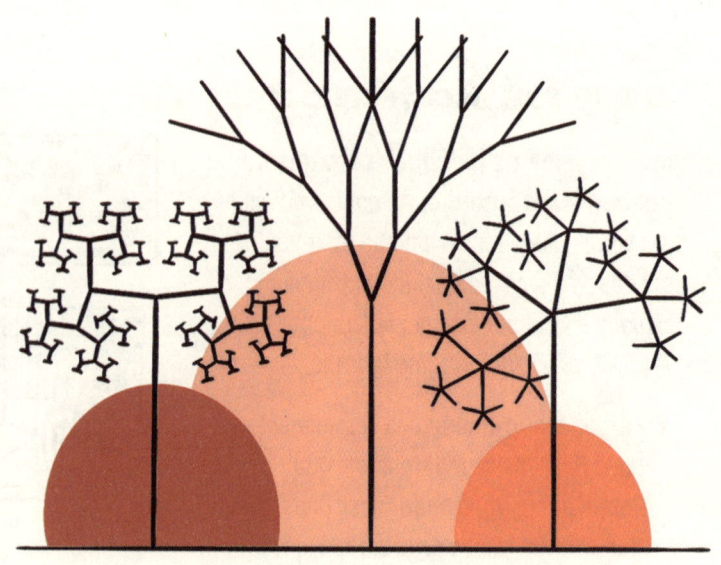

28

FLOCOS DE NEVE FRACTAL

Aqui está outro tipo de fractal que faz uma forma semelhante a um floco de neve.

O truque

Comece com um triângulo equilátero básico - um triângulo em que todos os três lados têm o mesmo comprimento.

A regra para este fractal é: onde quer que haja uma linha reta, divida-a em terços, e desenhe outro triângulo equilátero no terço médio.

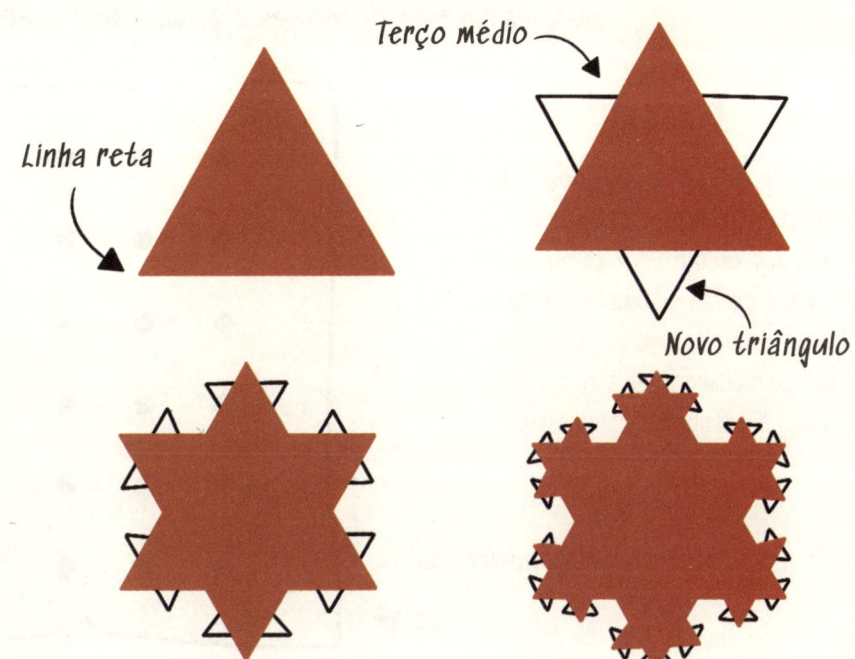

TRIÂNGULOS INFINITOS

E outro – é chamado de um triângulo Sierpinski.
Você poderia desenhar este em verde para parecer um pinheiro.

O truque

Desenhe um triângulo que aponte para cima, como este:

Agora, desenhe um triângulo menor, de cabeça para baixo, dentro dele. Agora você criou mais triângulos. Encontre todos os triângulos que apontam para cima e desenhe triângulos menores, de cabeça para baixo, dentro deles ... E assim por diante!

PONTOS E CAIXAS

Isto é mais um jogo do que um truque – mas, você pode ser capaz de enganar seu oponente enquanto estiver jogando! Você precisa de duas pessoas, canetas ou lápis em tons diferentes, e algum papel quadriculado.

O truque

Primeiro, desenhe um quadrado de pontos no papel, usando um marcador ou uma canetinha para que você possa vê-los facilmente. Para seu primeiro jogo, não faça um quadrado muito grande, tente um de 6 pontos por 6 pontos, como este.

papel quadriculado

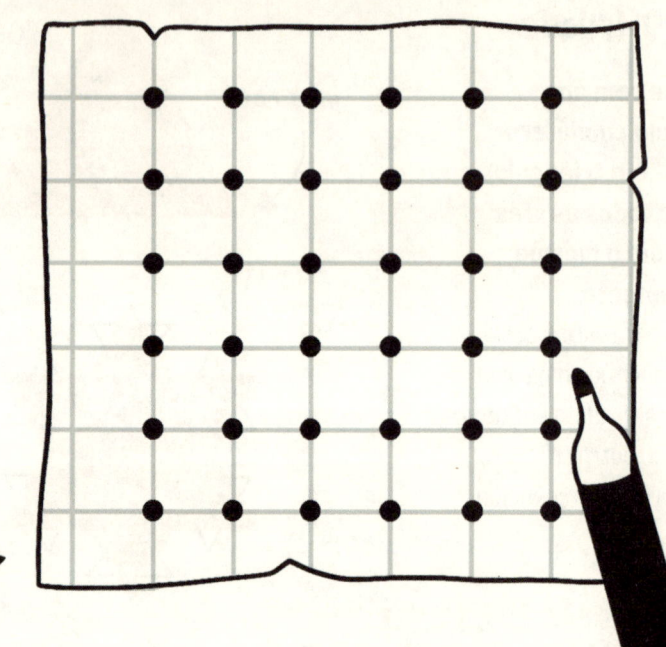

1 Para fazer um movimento, você deve traçar uma linha horizontal ou vertical para conectar quaisquer dois pontos.

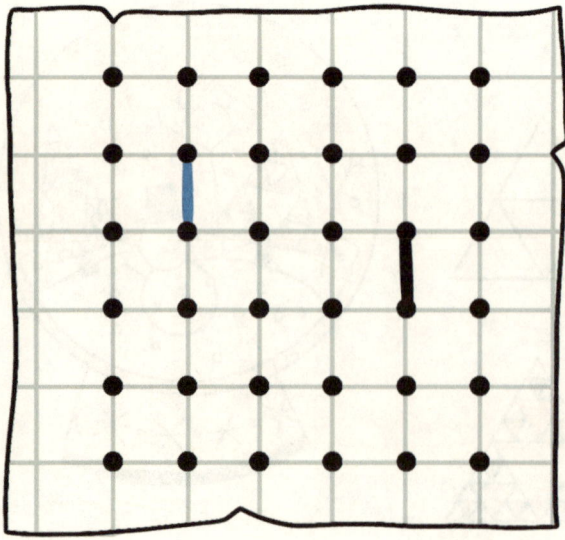

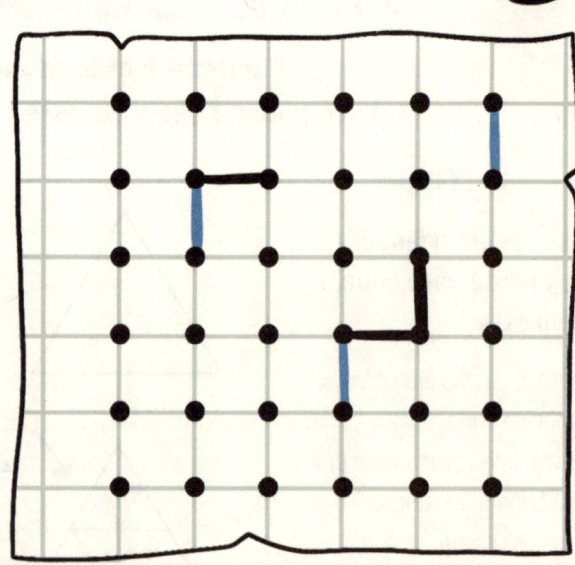

2 Um jogador vai primeiro, depois vocês revezam. Cada pessoa acrescenta uma nova linha, conectando quaisquer dois pontos que ainda não tenham sido unidos.

3 Para marcar um ponto, você deve completar um quadrado completo na grade, desenhando o último de seus quatro lados, como mostrado. Sempre que você conseguir fazer isso, pinte a caixa e dê uma rodada extra!

Continue fazendo turnos até que ninguém consiga desenhar mais linhas, e todas as caixas estejam completas. O vencedor é a pessoa que tiver mais caixas!

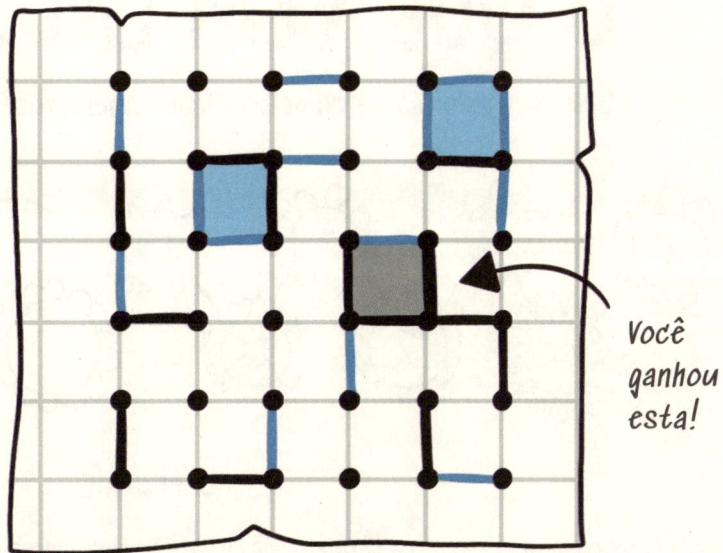

Você ganhou esta!

O que está acontecendo?

Parece simples - e as regras SÃO muito simples. Mas, você logo estará tentando encontrar todos os tipos de maneiras sorrateiras de ganhar, usando a solução matemática de problemas para calcular quantas curvas cada pessoa ainda tem, e como se preparar para marcar pontos.

Como você pode jogar para ter a chance de completar uma caixa, e seu oponente não?

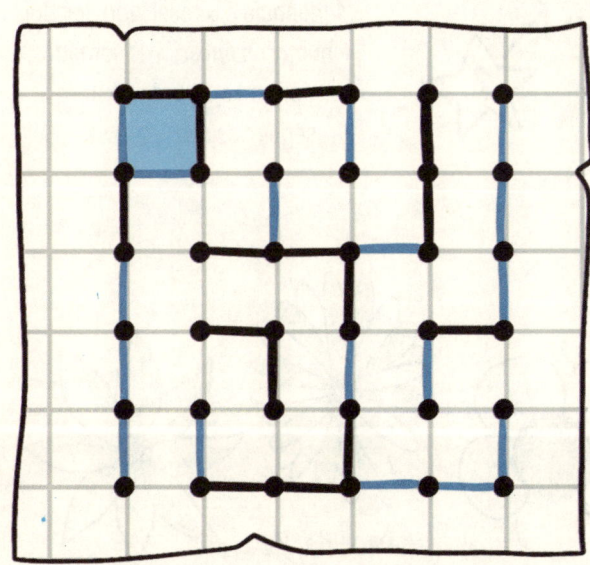

Você pode montar um longo "corredor" como este, para que você possa preencher muitas caixas ao mesmo tempo?

O QUE VEM EM SEGUIDA?

Olhe para esta fila de números. Qual número você acha que virá em seguida?

Isso, provavelmente, não foi muito complicado, pois é uma sequência muito simples de números. Basta adicionar dois de cada vez, então, o próximo número é ... 15!

O truque

Aqui está outra sequência para tentar. Veja se você consegue descobrir o que vem a seguir e, depois, experimente com um amigo ou parente.

Resposta: Primeiro acrescente 1, depois acrescente 2, depois 3, e assim por diante. Assim, os próximos três números são ... 29–37–46

E quanto a esta sequência?

Resposta: Cada número na sequência é o resultado dos dois números anteriores somados, portanto, os três números seguintes são ... 21–34–55

O que está acontecendo?

A matemática tem muitas tabelas de sequências-tempo, por exemplo. Para cada sequência, há uma regra simples. Uma vez conhecida, você pode prever o próximo número. A última sequência desta página é chamada de sequência de Fibonacci. Ela aparece com frequência no mundo natural. Por exemplo, é provável que as flores tenham várias pétalas da sequência de Fibonacci, tais como 5, 8, 13, ou 21

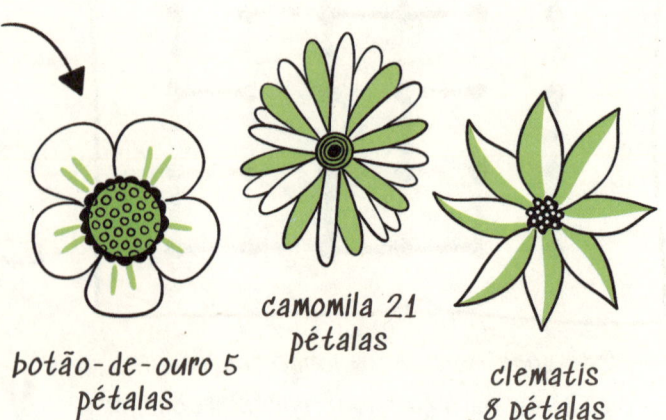

botão-de-ouro 5 pétalas

camomila 21 pétalas

clematis 8 pétalas

32

QUADRADOS E ESPIRAIS

Há um truque para desenhar uma espiral na página 23, mas você pode usar números Fibonacci para desenhar outro tipo de espiral.

O truque

Você precisará de um pedaço de papel quadriculado, um lápis e uma régua.

Primeiro, desenhe uma caixa na forma de quadrado - este é o 1º na sequência de Fibonacci. 1

Em seguida, desenhe outro único quadrado ao lado dele. 1

Em seguida, uma caixa com 2 quadrados de largura, acima deles. 2

Em seguida, uma caixa quadrada, com 3 quadrados de largura. 3

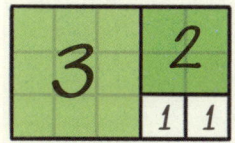

Continue seguindo a sequência para desenhar caixas cada vez maiores. Você verá que cada caixa cabe perfeitamente ao lado das anteriores, até que se pareça com esta...

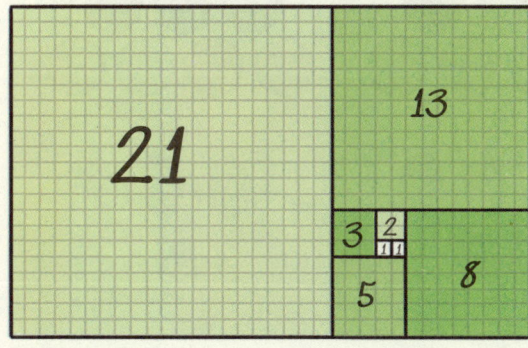

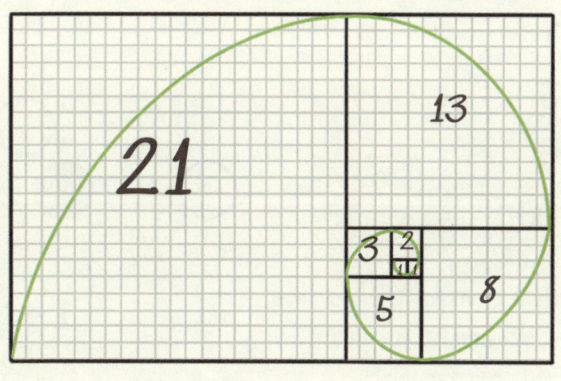

Para desenhar a espiral, conecte os cantos das caixas em sequência, com uma linha curva.

Você sabia?

Esta espiral também aparece na natureza!

TRUQUES TRIANGULARES

Aqui está outra sequência matemática misteriosa. Você pode dizer o que vem em seguida?

Você pode ter percebido este padrão:

Some 2   Some 3   Some 4   Some 5

1   3   6   10   __

Portanto, o próximo número é 15.
Mas, há um pouco mais nesta sequência.
Estes não são apenas números - eles são números triangulares!

O truque

Um número triangular é um número que pode ser organizado em um triângulo.
Para testar isto, você precisa de muitas moedas, botões ou contadores que sejam todos do mesmo tamanho.
Coloque-os em uma mesa e comece a fazer triângulos!

1
3
6
10

Qual é o maior triângulo que você pode fazer, e qual é o número triangular?

1   1+2   1+2+3   1+2+3+4
1   =3   =6   =10

O que está acontecendo?

Toda vez que você faz um triângulo maior, você precisa adicionar uma fileira extra de moedas (ou outros itens) na parte inferior. E, cada vez, você precisa de mais um item nessa fileira. É por isso que os números triangulares sobem em números crescentes.

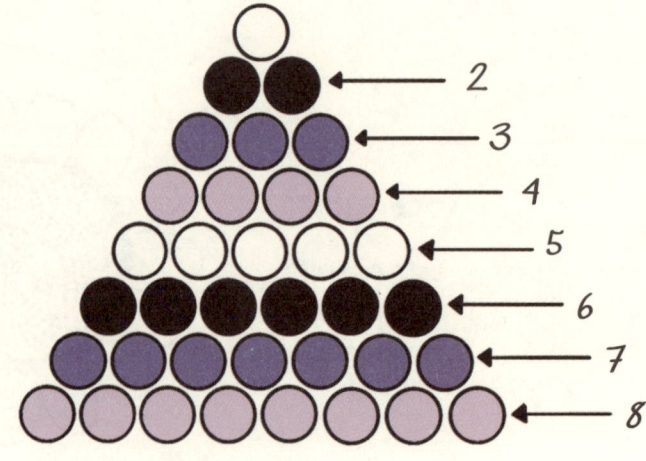

EM AÇÃO!

Agora você tem sua cabeça em torno de números triangulares, aqui está um truque triangular. Desafie um amigo a fazer isso, depois mostre-lhe como!

O truque

As pessoas podem passar séculos intrigadas com isso, mas na verdade é simples!

Organize 10 contadores ou botões para fazer um triângulo, como este.

O desafio é virar o triângulo de cabeça para baixo, movendo apenas 3 círculos.

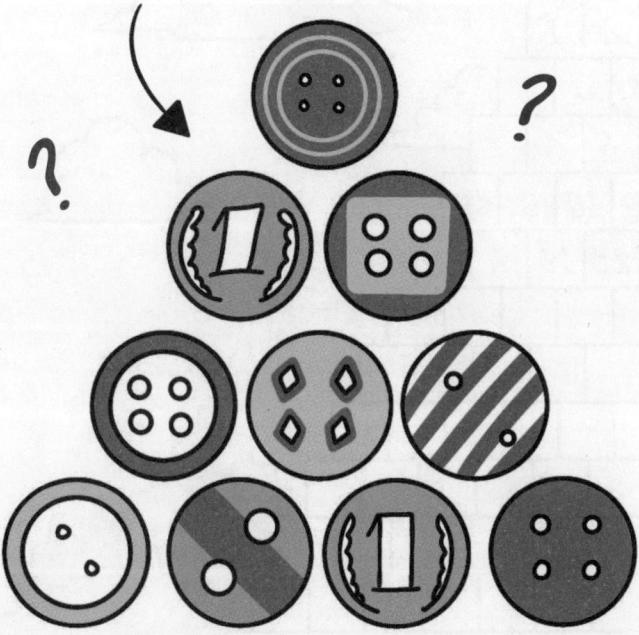

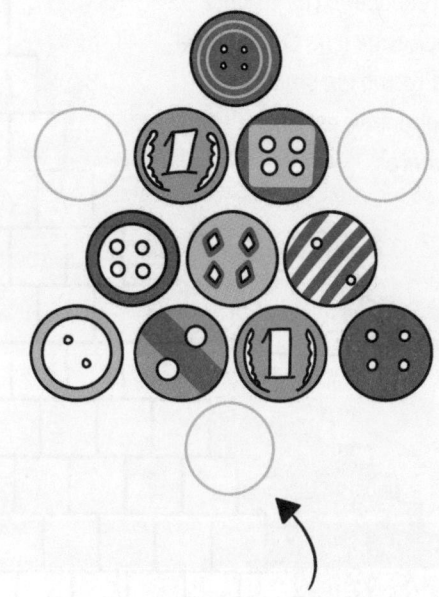

Basta mover cada ponto do triângulo para o lado oposto. Ta-da!

Você sabia?

Você pode experimentar com seus contadores para fazer outros números de forma, também.

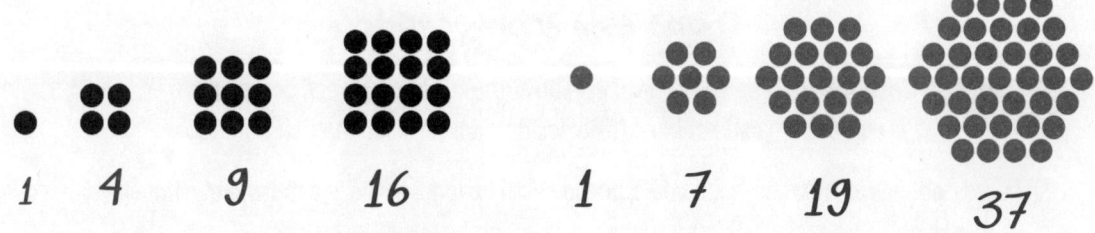

Números quadrados, por exemplo...   *e números hexagonais!*

QUEBRA-CABEÇA PASCAL

Estes dois truques andam juntos. Para que o segundo funcione, você tem que acertar o primeiro! É outro exemplo triangular, conhecido como o triângulo de Pascal.

O truque

Aqui está um triângulo formado por 16 fileiras de caixas. Preenchemos alguns dos números para você – mas, você pode preencher o resto? Você vai precisar de uma calculadora! Copie a forma em um pedaço de papel, depois escreva nos números.

O que está acontecendo?

Você já descobriu? Uma vez que você saiba como funciona, é fácil completar o triângulo. O número em cada caixa é feito dos dois números acima dele somados.

Se houver apenas um número acima dele, porque está ao lado, então, é o mesmo que aquele número. É por isso que há 1s em ambos os lados!

O triângulo tem o nome de Blaise Pascal, um matemático francês que viveu nos anos 1600.

OS PADRÕES DE PASCAL

Observe mais de perto o triângulo de Pascal, e você verá que ele está cheio de padrões.

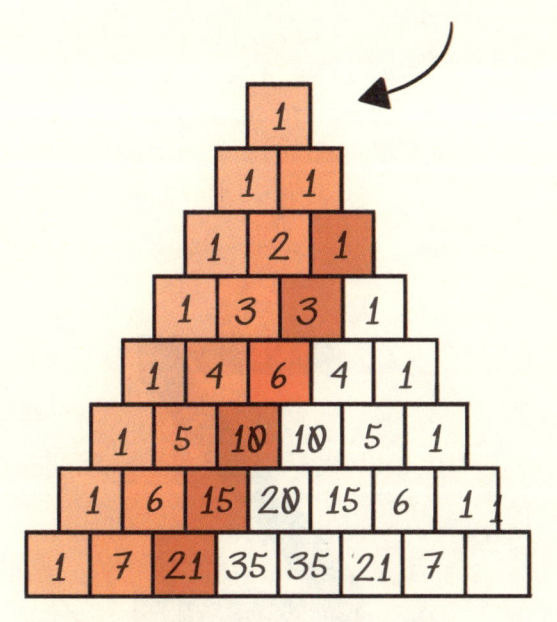

Experimente isto!

Pegue o triângulo de Pascal que você preencheu, e um marcador escuro ou uma canetinha. Agora, simplesmente sombreie em todas as caixas com números ímpares nelas. O que acontece?

Se você seguir a segunda linha diagonal para baixo, você verá que ela segue a sequência dos números principais.

E olhe para a terceira linha diagonal. Essa sequência é familiar? São os números triangulares!

Também há mais padrões escondidos lá dentro.

Experimente!

O que está acontecendo?

Espere aí, você já viu esse padrão em algum lugar? Bem, você já viu se já leu a página 29! É o padrão triangular fractal Sierpiński. Prova de que em matemática, tudo está inter-relacionado!

"Oi, vovô, estou apenas checando ..."

ESCOLHA UMA CARTA ...

Uma forma simétrica é exatamente a mesma em ambos os lados, como esta borboleta.

A linha do espelho divide a forma em metades.

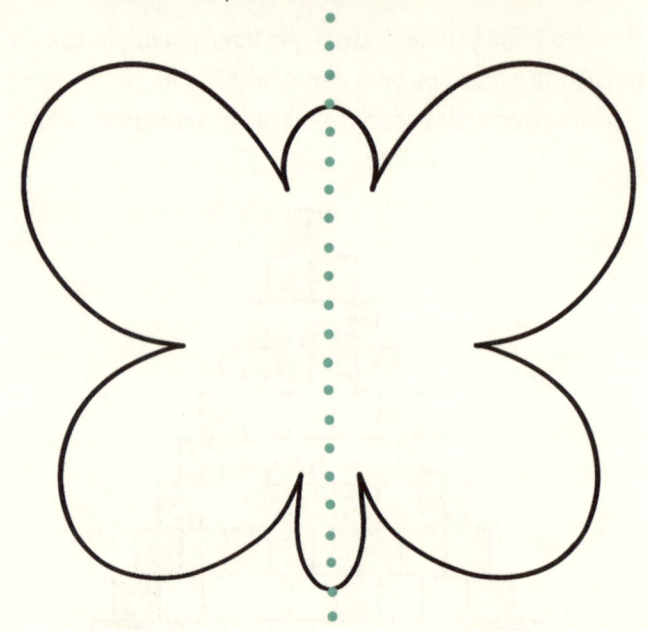

Mas, esta forma Z tem um tipo diferente de simetria - simetria rotacional. Isso significa que você pode girá-la em uma posição diferente que parecerá a mesma.

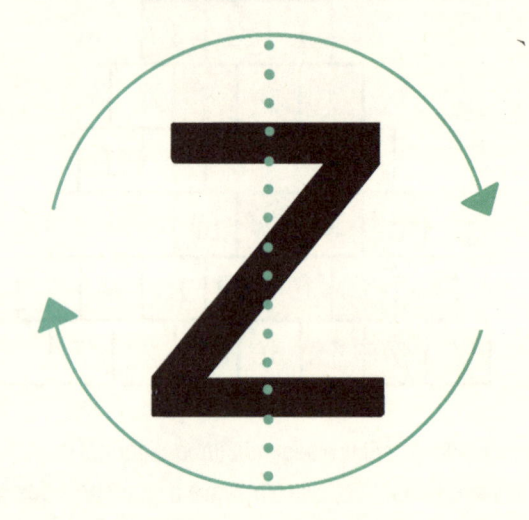

A simetria é importante para os padrões, e você pode usar a simetria rotacional para fazer um truque mágico matemático surpreendente.

O truque

Espalhe um monte de cartas e descubra quais delas têm simetria rotacional. Por exemplo, uma Rainha tem, assim como quase todas as cartas de Ouro - elas são as mesmas em ambos os sentidos!

Retire as cartas que têm simetria rotacional, e mantenha apenas as que NÃO têm simetria rotacional. Organize-as de modo que sejam todas "certas" para cima (com mais dos símbolos para cima do que para baixo).

Estes 2 de Corações têm simetria rotacional, mas os 3 de Corações NÃO têm.

Agora, para fazer o truque! Embaralhe o monte (certifique-se de manter as cartas do mesmo modo), e segure-as com a face para baixo. Peça a um amigo ou parente que escolha uma e olhe para ela sem mostrar e, depois, coloque-a de volta no maço. Enquanto eles estão olhando para ela, vire o monte sorrateiramente ao contrário.

Depois de colocarem a carta de volta, você pode embaralhar o monte novamente. Em seguida, espalhe as cartas e estude-as cuidadosamente. O que está de cabeça para baixo é aquela que eles escolheram! Puxe-a para fora do pacote dramaticamente e diga: "Abracadabra!

O que está acontecendo?

As cartas de jogo são projetadas para serem fáceis de ler em ambos os sentidos. Assim, as pessoas geralmente assumem que todas elas têm exatamente a mesma aparência para cima, e todas têm simetria rotacional. Na verdade, muitas delas não têm, mas a maioria das pessoas não percebe!

ENIGMA DA ENGRENAGEM

Uma engrenagem é uma roda dentada com um padrão regular de "dentes" adesivos em toda a volta da borda.

Dente da engrenagem

Por quê? Para que ela possa travar em outra engrenagem. Quando uma engrenagem gira, a próxima também gira, pois os dentes a empurram ao redor.

As engrenagens são uma parte importante de muitas máquinas, e os engenheiros têm que usar a matemática para garantir que elas funcionem corretamente!

O truque

Testes e exames, muitas vezes, incluem quebra-cabeças de engrenagens, como este. Você consegue descobrir para que lado a última engrenagem vai girar? Experimente - e veja quanto tempo leva.

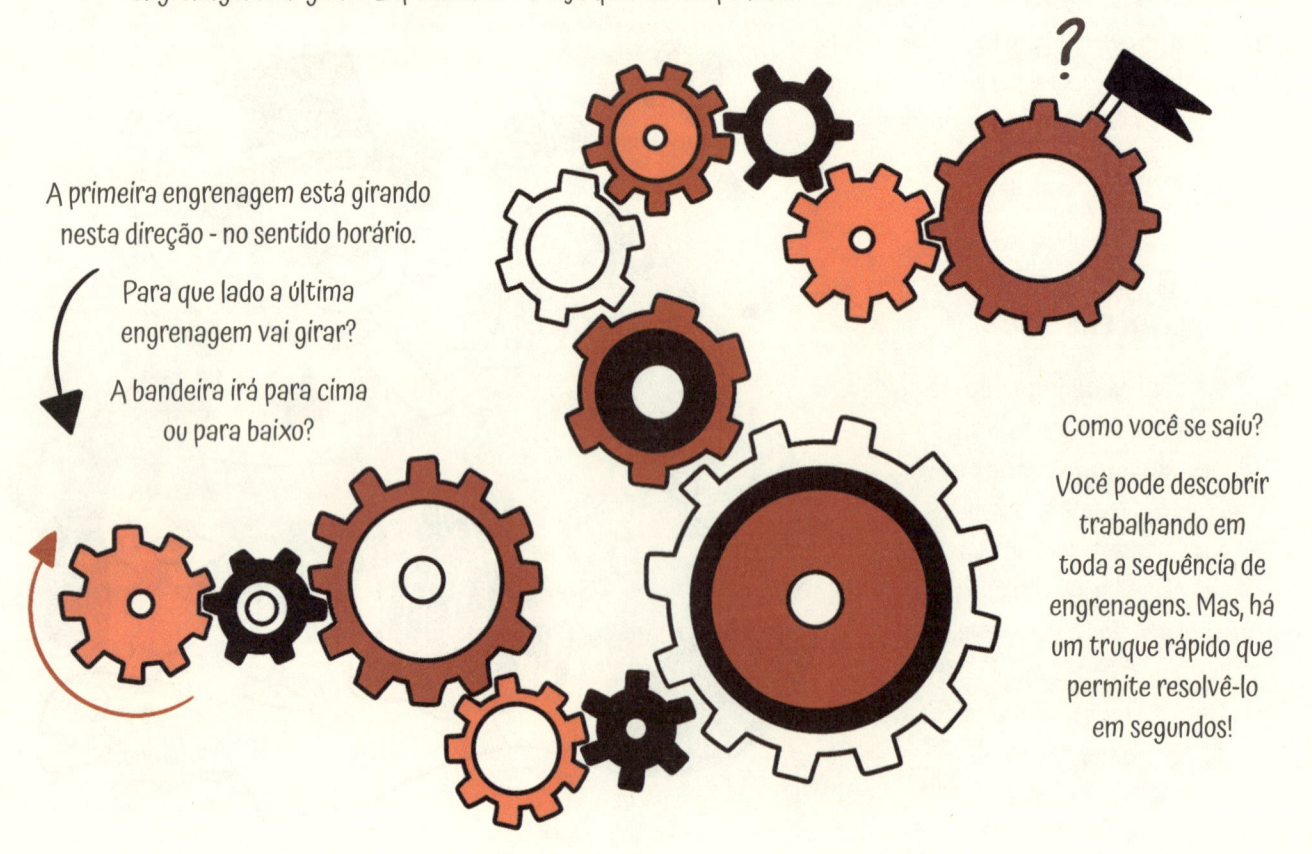

A primeira engrenagem está girando nesta direção - no sentido horário.

Para que lado a última engrenagem vai girar?

A bandeira irá para cima ou para baixo?

Como você se saiu?

Você pode descobrir trabalhando em toda a sequência de engrenagens. Mas, há um truque rápido que permite resolvê-lo em segundos!

O que está acontecendo?

Então, qual é o truque?

Basta contar as engrenagens! Cada engrenagem se move na direção oposta àquela anterior.

Portanto, se a primeira engrenagem gira no sentido horário, a segunda deve girar no sentido anti-horário.

Então, a terceira roda dentada gira no sentido horário...

A quarta roda dentada gira no sentido anti-horário... e assim por diante.

Se as engrenagens da corrente somarem um número PAR, a última girará na direção OPOSTA da primeira.

Se somarem um número ÍMPAR, a última girará na MESMA direção da primeira.

Simples!

Em nosso enigma, há 12 engrenagens - um número par.

Portanto, a última engrenagem gira na direção oposta à primeira: no sentido anti-horário... e a bandeira sobe!

CÓDIGOS SECRETOS

Esta roda de códigos de papel ajuda você a enviar mensagens codificadas, não quebráveis a seus amigos – com a ajuda dos números!

O truque

Para fazer a roda, desenhe e recorte dois círculos de papel, um com cerca de 10 cm de largura e outro com cerca de 8 cm. Com o círculo menor em cima, prenda-os juntos no meio, usando um prendedor de papel metálico.

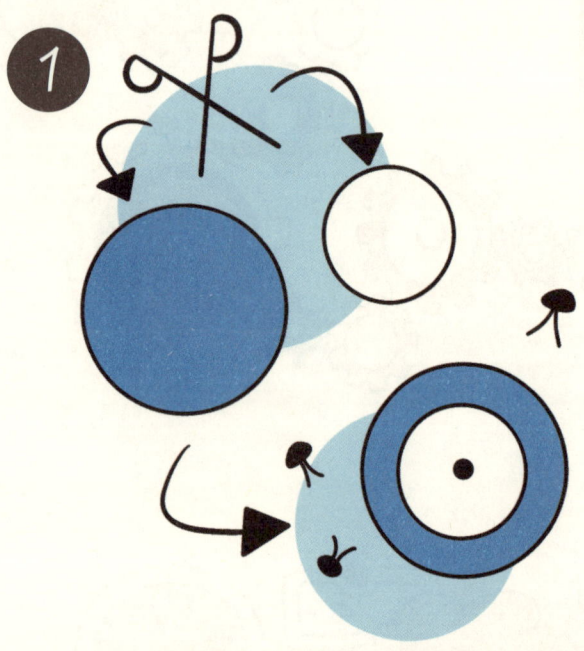

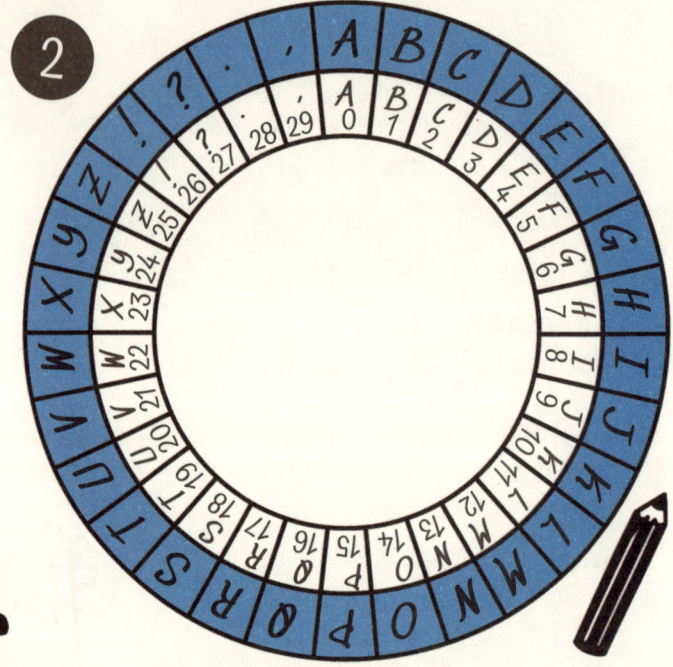

Use uma régua e um lápis para desenhar 30 caixas iguais ao redor da borda de cada círculo, como acima. (Se for um pouco complicado, você poderia copiar nossa roda.) Preencha a externa com as letras do alfabeto, mais os sinais de pontuação, e a interna com o alfabeto, mais os sinais de pontuação, e os números de 0 a 29, como acima.

Para fazer um código, escolha um número da roda como sua chave de criptografia. Gire a roda interna de modo que seu número se alinhe com A na roda externa.

Por exemplo, se você escolher 19, alinhe 19 na roda interna com A na roda externa.

Mantendo a roda nesta posição, use-a para codificar sua mensagem. Encontre cada letra de sua mensagem na roda externa, e use a letra abaixo dela.

Por exemplo, A torna-se T, B torna-se U, e assim por diante.

Portanto, esta mensagem: THE BAT FLIES TONIGHT (O MORCEGO VOA HOJE À NOITE)

Torna-se esta mensagem codificada: MAX UTM YEBXL MHGBZAM

Para ler a mensagem, a outra pessoa só precisa de sua própria roda de código, e a informação sobre qual número você usou.

O que está acontecendo?

Sempre que quiser codificar uma mensagem, você pode escolher um número de chave de criptografia diferente - assim seu código é diferente a cada vez!

Os códigos podem ser adivinhados através do estudo dos padrões de letras e palavras. Mas, mudar o código a cada vez torna isto muito mais difícil.

ZEROS E UNS

Binário é o sistema numérico que os computadores utilizam para armazenar informações. Ele pode registrar números, letras, imagens e outras informações como padrões de 0s e 1s.

Como funciona o binário?

Normalmente, contamos usando um sistema chamado Base 10, que contém estes símbolos: 0, 1, 2, 3, 4, 5, 6, 7, 8, 9. Podemos contar mais do que 9 usando lugares. Cada lugar representa um número dez vezes maior que o lugar à sua direita.

0   1   2   3   4   5   6   7   8   9

10   11

Neste lugar, "1" significa 1.

Neste lugar, "1" na verdade representa 10.

Em binário, você só tem dois símbolos: 0 e 1. Cada lugar representa um número duas vezes maior que o lugar à sua direita.

Base 10	Binário
1	1
2	10
3	11
4	100
5	101
6	110
7	111
8	1000

O que está acontecendo?

Em binário, os 1000s, 100s, 10s e 1s são os mesmos que nossos 8s, 4s, 2s e 1s.

Assim, 15, por exemplo, é 1111. Ele tem...

Um 8   Um 4   Um 2   Um 1

Você pode converter sua idade em binário?

CÓDIGO BINÁRIO

Como uma grande sequência de 0s e 1s pode conter uma mensagem codificada? Continue lendo para descobrir!

O truque

Você precisa de algum papel gráfico ou quadriculado, uma caneta ou lápis, e uma régua. Primeiro, desenhe uma caixa de 20 quadrados de largura por 20 quadrados de altura. Desenhe sua mensagem de imagem dentro dela, sombreando-a em quadrados para criar uma imagem, como mostrado. (Mantenha-o simples!)

A partir da parte superior esquerda, trabalhe ao longo de cada linha por vez, adicionando um 0 em cada quadrado vazio, e um 1 em cada quadrado sombreado.

Depois, em outro pedaço de papel, escreva uma lista dos 0s e 1s, como eles aparecem no quadrado.

Você ficará com uma longa lista que aparece totalmente aleatória! Pode parecer algo como isto...

0000000000000000000000000000000000000001101101101110000011111010010001000000101010110110 0100000 ...

O que está acontecendo?

Para decodificar a mensagem, a outra pessoa só tem que saber o tamanho da caixa que você usou. Ela recebe sua lista de 0s e 1s, e a copia em sua própria caixa de 20 x 20. Quando ela sombreia os quadrados com um 1 neles, a mensagem de imagem aparecerá!

Capítulo 3: Truques de Perplexidade

O DINHEIRO EM FALTA

Várias versões deste famoso mistério matemático vêm atrapalhando a mente das pessoas há anos! Leia a história e veja se você consegue descobrir. Depois, experimente com seus amigos.

O truque

Três amigos estão em um acampamento no parque, compartilhando uma cabana. Quando chegam, o proprietário cobra R$30,00 para ficarem por uma noite. Assim, cada um dos amigos paga R$10,00.

Mais tarde, o proprietário percebe que cobrou demais deles, já que o preço é, na verdade, R$25,00. Ele envia seu assistente para devolver R$ 5,00 aos amigos em notas de R$ 1,00.

Quando o assistente devolve aos amigos os R$5,00, eles percebem que não podem dividir as notas igualmente entre eles. Então, eles pegam uma nota cada, e dão ao assistente as outras duas como gorjeta.

Assim, cada amigo pagou R$ 9,00 (cada um pagou 10 reais e recebeu 1 real de volta).

Isso totaliza R$27,00.

E eles deram R$2,00 ao assistente.

Isso perfaz R$29,00.

PARA ONDE FOI O OUTRO REAL?

O que está acontecendo?

Perplexo? Este truque sorrateiro pode enganar você, mas existe uma solução. A razão pela qual isso não faz sentido é que você está tentando somar as coisas erradas:

Os R$27,00 que os amigos pagaram no total...

e os R$2,00 de gorjeta.

Se você pensar nisso, se os amigos receberam R$3,00 de volta, R$27,00 devem ter ido para o acampamento.

R$25,00 para o proprietário...

... e R$2,00 para o assistente.

Os R$2,00 não devem ser adicionados aos R$27,00 - já fazem parte dele! Em vez disso, os R$27,00 devem ser adicionados aos R$3,00 do troco, fazendo R$30,00 no total.

Você sabia?

Se você estiver preso a um problema confuso como este - na aula ou na vida real - pode ajudar se você "localizar" todos os números. Pense em ONDE cada quantia acabou.

R$ 25,00 - com o proprietário...

R$2,00 - com o assistente...

R$3,00 - retornados para os amigos.

O HOTEL INFINITO

Uma das ideias mais estranhas da matemática é o infinito. Os números são infinitos, o que significa que eles continuam para sempre. Qualquer que seja o maior número em que possa pensar, você pode sempre acrescentar 1!

O truque

Você acabou de chegar em Numberópolis e precisa de algum lugar para ficar – mas, todos os hotéis estão cheios. Seu amigo, professor Polygon, lhe diz para experimentar o Hotel Infinito.

Os matemáticos espertos escrevem "infinito" usando este símbolo:

∞

é um loop infinito, por isso continua para sempre!

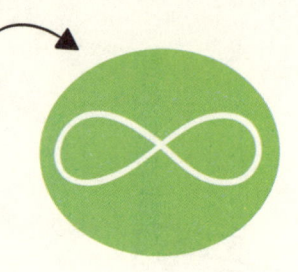

Agora, experimente este enigma ...

O Hotel Infinito tem um número infinito de quartos. Mas, ele está cheio, pois também tem um número infinito de hóspedes. No entanto, o gerente do hotel diz que você está com sorte - você pode ter um quarto!

Como ele vai administrar isso?

O que está acontecendo?

O gerente não tem nenhuma sala vazia. Mas, como ele tem salas infinitas, ele pode simplesmente mover todos para cima.

Ele pede ao hóspede do quarto 1 que se mude para o quarto 2, ao hóspede do quarto 2 que se mude para o quarto 3, e assim por diante, até o infinito. Agora você pode ter o quarto 1!

48

AQUILES E A TARTARUGA

Aqui está um outro quebra-cabeças infinitamente relacionado.

O truque

Certo dia, uma tartaruga desafiou um antigo herói grego, Aquiles, a uma corrida ... se ela pudesse sair na frente. Então, Aquiles concordou que ela poderia começar 10 passos na frente.

Mas, quando Aquiles chegou até onde a tartaruga havia começado, ela tinha avançado.

E, quando ele chegou a esse ponto, ela tinha avançado novamente!

Na verdade, mesmo que a distância fosse cada vez menor, Aquiles nunca conseguiria alcançar!

O que está acontecendo?

Isto parece PROVAR que Aquiles nunca conseguiria alcançar a tartaruga. Mas, todos nós sabemos que ele pode! Os corredores se superam o tempo todo.

Então, o que está errado?

Aquiles poderia tentar pegar a tartaruga um número infinito de vezes. Mas, a distância fica cada vez mais curta, até ser infinitamente curta, e Aquiles é infinitamente lento.

Mas, quantidades infinitamente curtas de espaço e tempo não podem existir no mundo real - são apenas ideias. E Aquiles não iria realmente diminuir a velocidade. Em vez disso, medimos a velocidade pela distância que você cobre em um determinado tempo. Olhando dessa forma, Aquiles ganharia!

MISTÉRIOS ESPANTOSOS DE MÖBIUS

Quantos lados tem um pedaço de papel? Dois, você diz? Bem, este truque legal faz um pedaço de papel com apenas um lado. Tudo o que você precisa para surpreender seus amigos é um grande pedaço de papel, tesoura, cola ou fita adesiva, e um lápis.

O truque

1. Corte uma longa tira de papel, com cerca de 20 cm de comprimento e 3 cm de largura.

2. Faça um laço na tira e segure as extremidades na sua frente. Vire uma extremidade para fazer uma meia-volta.

3. Prenda as extremidades com fita ou cola. Você terá um laço com uma volta, chamado de tira Möbius.

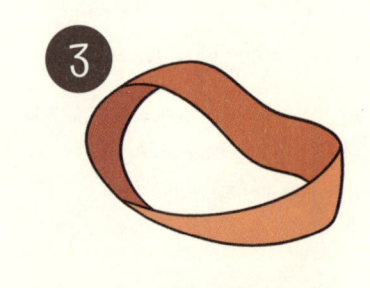

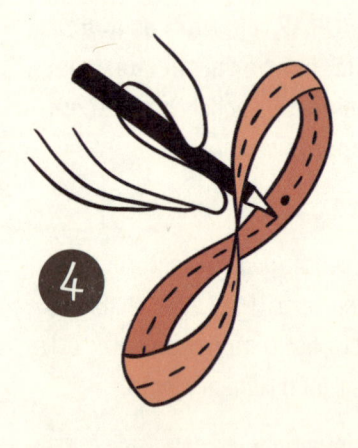

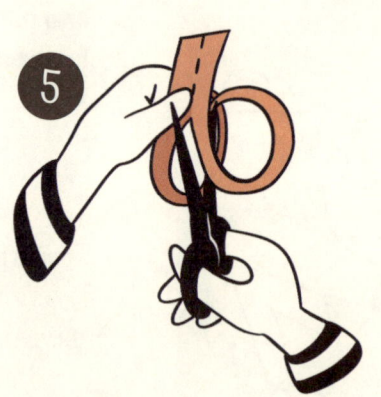

4. Sua tira Möbius pode não parecer estranha, mas é. Não acredita nisso? Desenhe uma linha ao longo do meio da faixa até voltar ao ponto de partida. Você desenhou de ambos os lados! Ou melhor, de um lado, pois existe apenas um!

5. Em seguida, corte cuidadosamente ao longo da linha que você acabou de traçar, até voltar ao ponto de partida. Você está cortando a tira pela metade, certo? ERRADO! Ainda há apenas uma tira!

6. Para cortar uma tira de Möbius em duas, faça uma nova e marque um ponto 1/3 do caminho de travessia. Desenhe uma linha a partir desse ponto, ficando 1/3 do caminho através da tira em toda a volta. Agora, corte ao longo dessa linha. Ta-da!

O que está acontecendo?

Uma faixa de Möbius envolve uma matemática esquisita e maravilhosa. Quando você vira a extremidade da tira e junta as extremidades, você está fazendo uma superfície única e contínua, com apenas uma borda. Quando você corta a tira ao longo do meio, a tira original de uma única borda torna-se uma borda de uma nova tira, mais longa, com duas bordas.

No entanto, você está fazendo algo diferente na segunda experiência. Ao cortar a borda da tira, você cria um laço mais longo, mas o meio da tira é deixado para trás. Ainda é uma tira de Möbius, apenas mais estreita!

CORAÇÕES MÖBIUS

Agora, um truque envolvendo duas tiras de Möbius!
Perfeito para os amantes do número para o Dia dos Namorados...

O truque

Primeiro, faça duas tiras de Möbius. Para cada uma, corte uma tira de papel de cerca de 20 cm de comprimento e 2-3 cm de largura. Enrole-a em um laço, vire sobre uma extremidade para fazer uma meia volta, depois cole as duas extremidades juntas.

Cole as duas alças em ângulos retos, e de ambos os lados. Agora, corte no meio de uma tira com uma tesoura pontiaguda, e comece a cortar longitudinalmente. Continue cortando até chegar aonde você começou.

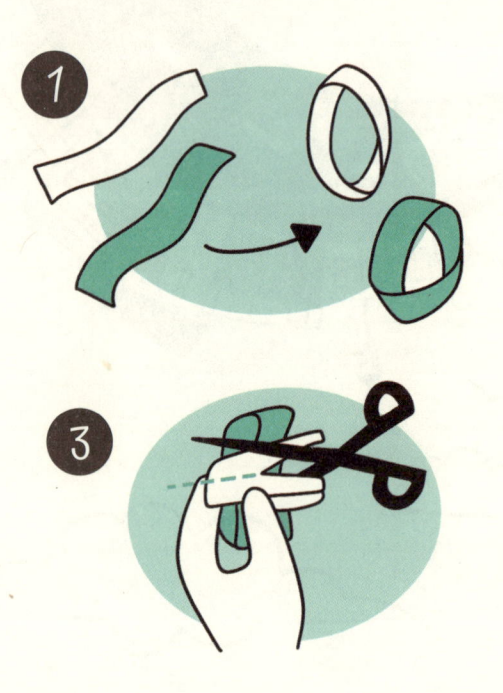

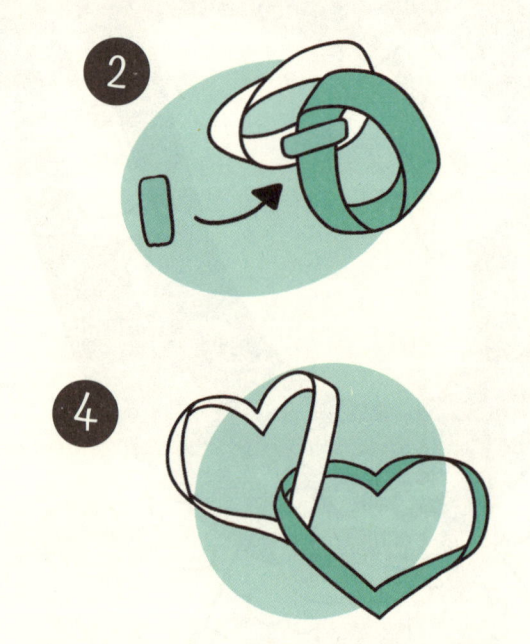

As tiras se separarão em dois corações, unidos entre si!

O que está acontecendo?

Como você saberá se ler as páginas 50-51, cortar uma tira de Möbius na metade do comprimento resulta em um grande laço. Isso porque uma tira de Möbius tem apenas uma borda.

Mas, duas tiras de Möbius têm duas arestas. Unindo-as e, depois, cortando-as, você obtém dois objetos separados. A torção cria as formas do coração!

GAVETA DAS MEIAS DO SAM

Sam é um matemático brilhante, mas ele não é muito bom em manter sua gaveta de meias arrumada. Você pode ajudá-lo a encontrar um par de meias iguais?

O truque

A gaveta das meias do Sam contém 4 meias brancas, 5 meias rosas, 8 meias laranjas e 12 meias pretas.

Sam quer um par de meias da mesma cor, mas está muito escuro para ver. Quantas meias ele deve tirar para ter certeza de que tem um par de meias iguais?

Esta pergunta confunde a maioria das pessoas e elas, normalmente, dizem um número que é alto demais.

A resposta é, na verdade, ...5!

O que está acontecendo?

Imagine que Sam arrancou 4 meias no escuro. Elas poderiam ser brancas, rosas, laranjas e pretas, portanto, sem pares correspondentes.

Mas, ele só precisa puxar mais um, e ele vai combinar com uma delas!

O QUEBRA-CABEÇAS DA PORCENTAGEM DE BATATA

Experimente este quebra-cabeças percentual com qualquer um que se ache esperto! Veja quantos deles acham que é fácil e darão sua resposta em um instante! (A resposta ERRADA, é claro).

O truque

O fazendeiro Palmer tem um saco contendo 100 kg de batatas, recém-colhidas de seu campo.

As batatas são, na sua maioria, água, como muitos vegetais. Na verdade, elas são 99% de água.

Você poderia pensar nelas como 100 libras de batatas, se preferir. A unidade não é importante.

O fazendeiro Palmer deixa o saco de batatas em um barracão por alguns dias, e elas começam a secar. Depois de um tempo, elas são apenas 98% de água.

Agora, quanto pesam as batatas?

Se você conseguiu uma resposta de 99 kg ou por aí, então, você é como a maioria das pessoas!

Mas, não é a resposta certa. A resposta correta é... 50 kg.

O que está acontecendo?

Este quebra-cabeças faz as pessoas coçarem a cabeça porque cometem um erro. Quando ouvem que 99% de água se tornou 98% de água, pensam que 1 kg de água se foi, então, o peso é 1 kg a menos.

Ao invés disso, é preciso pensar assim:

No início, as batatas são 99% de água, pesando 99 kg.

O restante deve ser 1% de material sem água, pesando 1 kg.

Mais tarde, as batatas são 98% de água. O material não aquoso deve ser 2% do peso total.

Mas, elas ainda pesam apenas 1 kg.

2% é o mesmo que 1/50, e 1 kg é 1/50 de 50 kg. Não 99 kg!

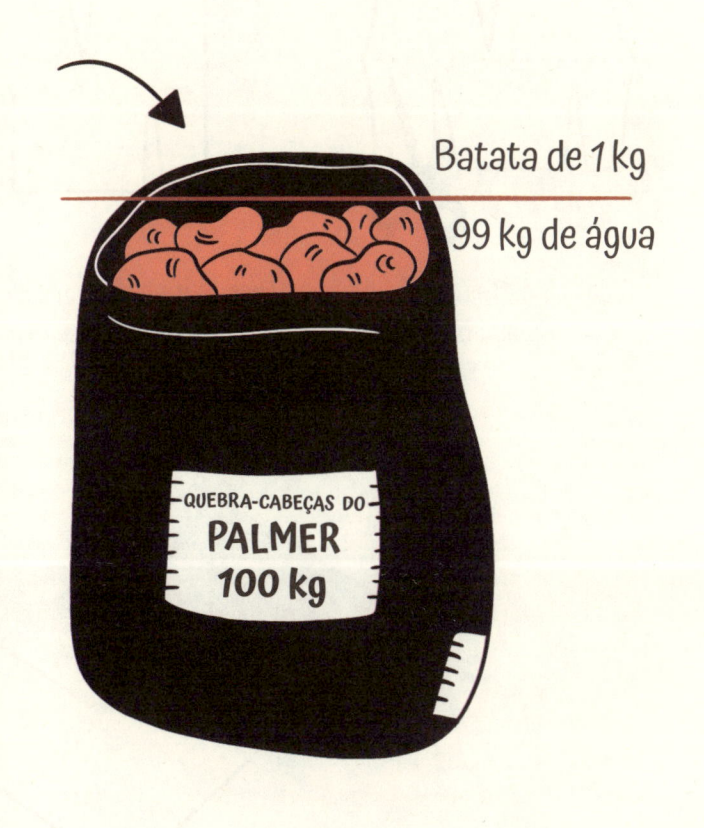

Batata de 1 kg

99 kg de água

QUEBRA-CABEÇAS DO
PALMER
100 kg

PAPEL IMPOSSÍVEL

Diga a seus amigos que você tem um pedaço de papel impossível, e eles vão ficar desesperados para vê-lo!

O truque

1 **Pegue um pedaço de papel normal.** Dobre-o ao meio, no sentido do comprimento, e depois abra-o novamente.

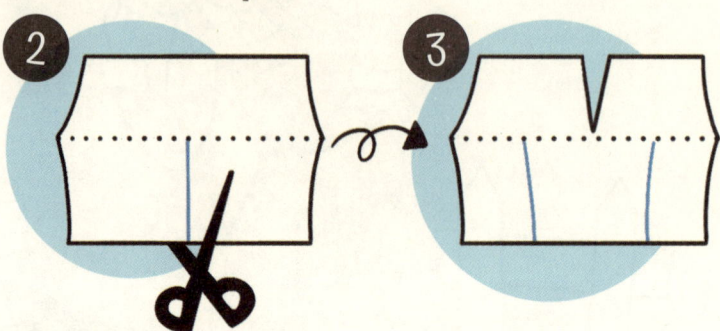

2 Com um lado na sua direção, corte no meio do papel, até a dobra.

3 Vire o papel de modo que você tenha a borda oposta na sua direção.

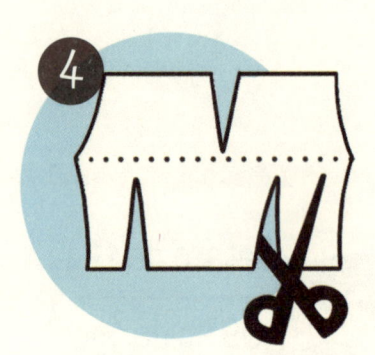

4 Faça dois cortes até a dobra, assim.

5 Agora, pegue a extremidade direita do papel e dobre a aba traseira na sua direção, e a aba dianteira por baixo, e longe de você, para que elas troquem de lugar.

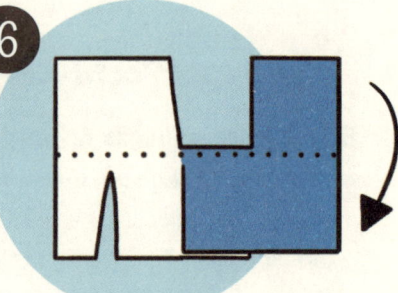

6 Pegue a aba no meio e dobre-a, de modo que ela fique para cima.

Ta-da! Dê a alguém o pedaço de papel impossível, e exploda sua mente!

VIRE UM PEDAÇO DE PAPEL DE DENTRO PARA FORA!

Enquanto você está fazendo coisas impossíveis com papel, por que não virar um pedaço de papel do avesso?

O truque

Pegue um pedaço de papel normal, ou uma página arrancada de uma revista antiga.

Dobre-o ao meio no sentido do comprimento, abra-o e, depois, dobre-o sobre as extremidades até a dobra do meio. Abra-o para fora e dobre-o da mesma forma na outra direção. As dobras farão uma forma de caixa no meio do papel. Use uma régua e uma caneta para desenhar uma cruz na caixa.

Corte cuidadosamente ao longo das duas linhas da cruz. Agora, dobre as extremidades do papel, depois as laterais. Abra as abas em forma de triângulo e dobre-as para trás, também. Abra as abas retangulares ... você virou o papel de dentro para fora!

O que está acontecendo?

Este truque parece incrível, mas, na verdade, não é tão estranho assim. Desde que o buraco no papel seja grande o suficiente para deixar passar as bordas dobradas, é fácil!

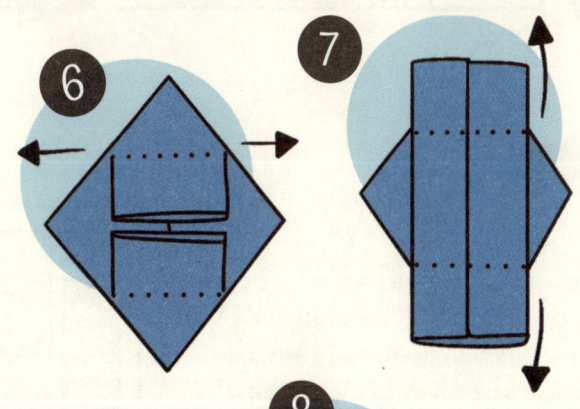

Você sabia?

Este truque parece melhor se o papel for diferente em lados diferentes. Assim, uma página de uma revista é perfeita - ou experimente um pedaço de jornal com um desenho diferente em cada lado.

57

O DILEMA DAS TRÊS PORTAS

Este bem conhecido "quebra-cabeças" costumava fazer parte de um famoso programa de jogos!

O truque

Você pode escolher entre três portas. Uma delas tem o prêmio legal por trás - por exemplo, um carro. As outras duas têm cabras atrás delas. Você quer escolher a porta do prêmio!

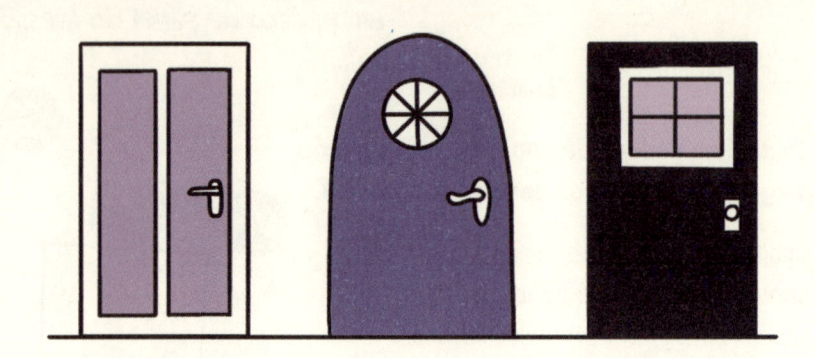

Você escolhe uma porta. Mas, ao invés de abri-la, o apresentador do concurso abre uma porta diferente, revelando uma cabra.

Agora você tem outra escolha. Você se mantém com sua primeira escolha, ou muda para a outra porta fechada? O que lhe dá a melhor chance?

Se você acha que ficar com a sua escolha é melhor - errado! Se você acha que isso não importa porque ambos têm a mesma chance, errado de novo! Mas, por quê?

O que está acontecendo?

A maioria das pessoas diz que não faz diferença, pois todas as portas têm 1/3 de chances iguais de estarem certas. Mas, não é assim que funciona!

Quando você escolhe uma porta, há 1/3 de chance de que ela esteja certa.

Há 2/3 de chance de que o prêmio esteja atrás de uma das outras duas portas.

Quando uma das outras portas é aberta, ainda há 1/3 de chance de que o prêmio esteja atrás de sua porta...

...e há 2/3 de chance de estar atrás de uma das outras duas.

Agora, você sabe que uma dessas duas outras portas tem uma cabra atrás dela, portanto não pode ser essa. Portanto, agora há 2/3 de chance de que esteja atrás da outra!

Você sabia?

O show da vida real provou que isso era verdade. As pessoas ganhavam mais vezes se trocassem.

Você mesmo pode montar o jogo com 3 copos de papel, e pequenas fotos de um carro e dois bodes. Teste-o com um amigo e veja o que acontece!

NOITE DO JOGO

Eu queria uma cabra, de qualquer forma!

SUBIR E DESCER A MONTANHA

Este quebra-cabeças de domínio do cérebro, provavelmente, confundirá qualquer um com quem você o compartilhe. Mas, eles ficarão ainda mais confusos quando ouvirem a resposta!

O truque

A professora de probabilidade decide fazer uma caminhada de dois dias com seu cão, Aleatório.

Eles partem às 8h da manhã e sobem uma montanha a pé. Na manhã seguinte, às 8 horas da manhã, eles começam a caminhar de volta pelo mesmo caminho.

Na descida, a professora olha para seu relógio e diz a Aleatório: "Uau! São 12h30, e estamos exatamente no mesmo lugar em que estávamos às 12h30 de ontem"!

A pergunta é: isso poderia acontecer? Quais são as chances de você se encontrar exatamente no mesmo lugar, à mesma hora do dia, no caminho para baixo, como no caminho para cima? Você acha que é provável ou improvável?

A resposta pode surpreendê-lo. A verdade é que não é só assim - é garantido. Você pode não notar como a professora fez, mas em algum momento, isso tem que acontecer! Mas, por quê?

O que está acontecendo?

Imagine que a professora e seu cão têm um clone cada um, e as duas caminhadas acontecem no mesmo dia.

Você pode ver aonde isto está indo? Em algum momento, eles têm que se encontrar e atravessar - e esse é o ponto onde a professora percebeu que ela esteve no mesmo lugar, na mesma hora, no dia anterior.

A professora 2 começa pela manhã no topo da montanha.

A professora 1 começa pela manhã, no pé da montanha.

O lugar e a hora podem ser diferentes, dependendo da velocidade da caminhada – mas, isso tem que acontecer em algum lugar!

O ENIGMA DO ARROZ

Se você fosse o rei nesta história, você cometeria o mesmo erro?

O truque

Há muito tempo, segundo uma velha lenda, um homem sábio inventou o jogo de xadrez. O rei amava tanto o novo jogo que ofereceu ao inventor qualquer recompensa que ele pedisse.

O inventor disse que gostaria de um pouco de arroz. Ele pediu ao rei que lhe desse um grão de arroz para a primeira casa do tabuleiro, dois grãos para a próxima casa, quatro para a próxima, oito para a próxima e assim por diante, dobrando a quantidade cada vez, até que todas as casas do tabuleiro estivessem esgotadas.

O rei concordou, pois isso não parecia muito arroz. Mas, ele estava errado!

O que está acontecendo?

Há 64 casas em um tabuleiro de xadrez, então, a quantidade de arroz teria que dobrar 63 vezes. As primeiros oito casas seriam parecidas com isto:

1	2	4	8	16	32	64	128

Enquanto as próximas oito casas ficariam assim:

1	2	4	8	16	32	64	128
256	512	1.024	2.048	4.096	8.192	16.384	32.768

Você passaria a um milhão de grãos de arroz na casa 21, e a 100 milhões na casa 28. No total, todo o arroz para cada casa somaria 18.446.744.073.709.551.615. São mais de 18 quintilhões de grãos de arroz, o suficiente para cobrir toda a terra do mundo com arroz! Como o rei descobriu, os números crescem incrivelmente rápido quando se continua a dobrá-los.

Você sabia?

Este tipo de aumento rápido por dobrar é chamado de crescimento exponencial.
É muito importante na matemática, e na vida real também. Por exemplo, as populações de seres vivos podem crescer desta forma em algumas situações.

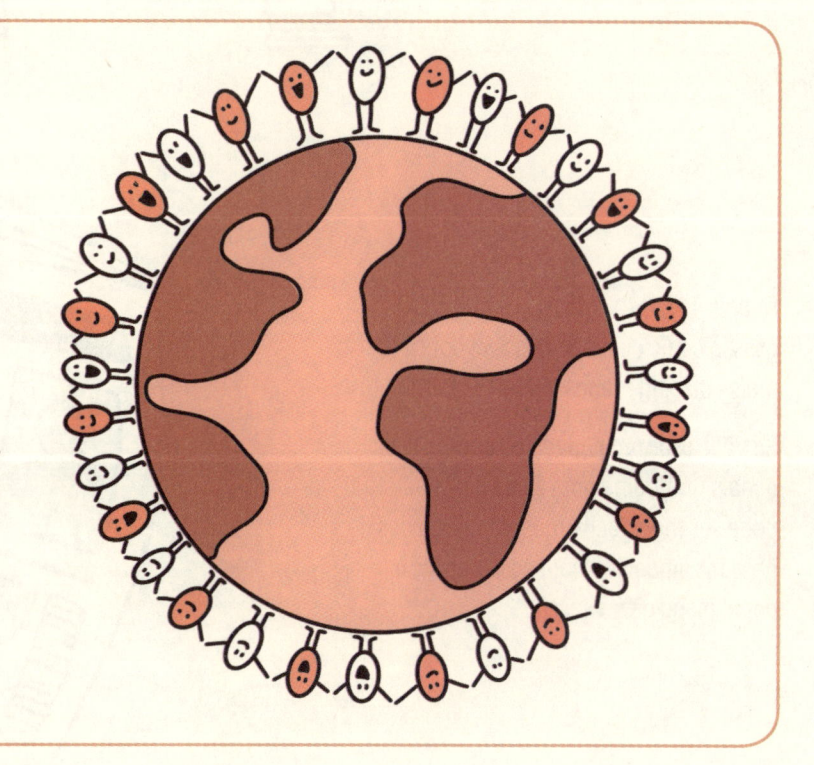

DESAFIO DE DOBRAR PAPEL

Aqui está outro truque de crescimento exponencial. Você consegue dobrar um pedaço de papel na metade oito vezes? (Sem desdobrá-lo após cada dobra). Desafie um amigo a fazer isso, ou experimente você mesmo.

O truque

Comece com um simples pedaço de papel.
Dobre-o ao meio... Depois, na metade novamente... E novamente, até que você tenha dobrado oito vezes. Você conseguiu? Ou foi um pouco difícil demais?

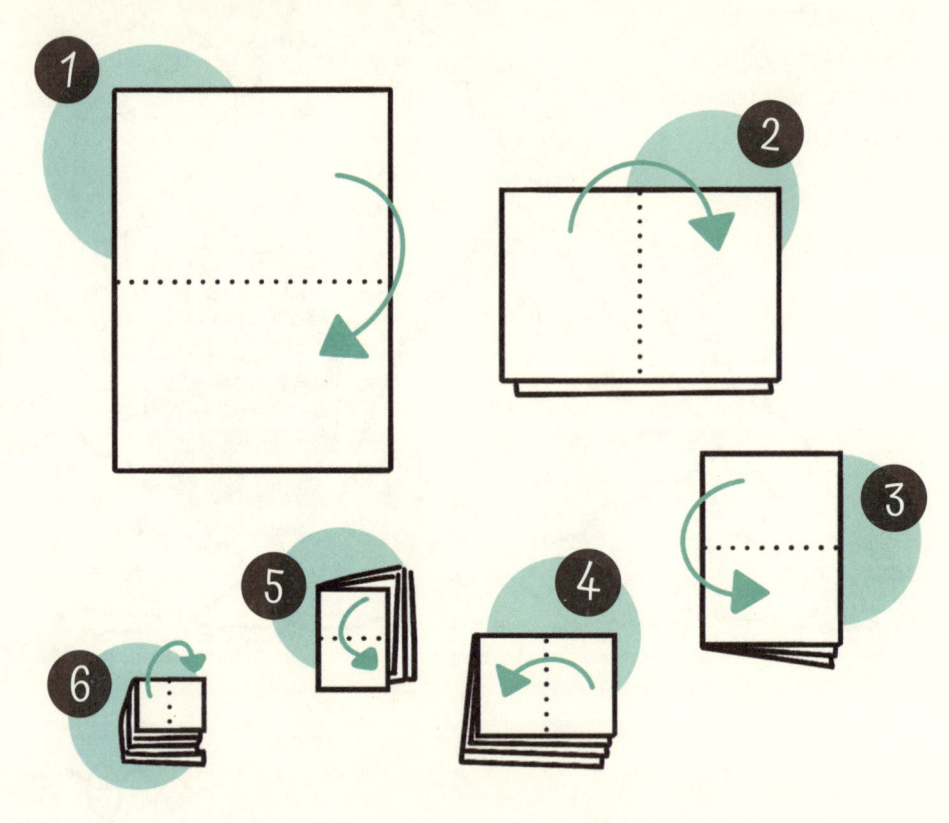

Depois de 6 ou 7 dobras, o papel é tão grosso que é quase impossível dobrá-lo mais - ou pelo menos dobrá-lo plano.

Se você usar um pedaço de papel maior e mais fino, como uma folha de jornal, pode ser mais fácil - mas, a maioria das pessoas ainda não consegue dobrar o papel plano oito vezes.

O que está acontecendo?

Toda vez que você dobra o papel, ele dobra de espessura por crescimento exponencial - exatamente como os grãos de arroz na página 62. Então, quando você faz a sétima dobra, você está tentando dobrar uma pilha de papel que tem 64 folhas de espessura, e muito pequena. Se você conseguir isso, o papel terá 128 folhas de espessura, e ainda menor, quando você tentar fazer a oitava dobra.

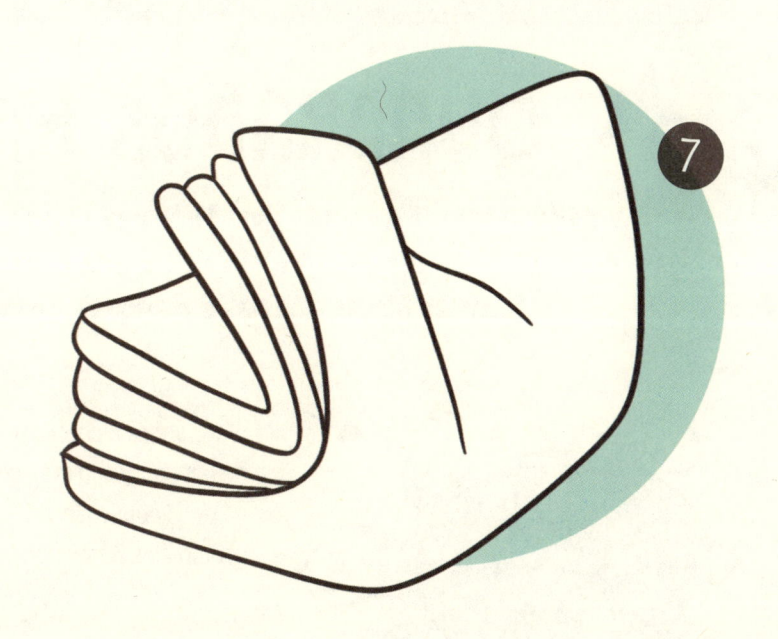

Você sabia?

Algumas pessoas conseguiram dobrar papel até 10, 11 ou 12 vezes, usando um pedaço gigante de papel muito fino. Portanto, não é impossível. Mas, você não poderia ir muito mais longe, por causa da espessura do papel. Se você pudesse dobrá-lo 42 vezes, por exemplo, a pilha de papel seria espessa o suficiente para chegar à Lua.

Capítulo 4: Matemática Mágica

QUADRADOS MÁGICOS

Há muito tempo, diz a lenda, uma tartaruga saiu do grande Rio Amarelo da China. Em suas costas, havia um estranho padrão de pontos, mostrando nove números em um quadrado. Todas as fileiras, colunas e diagonais do quadrado somavam 15.

Isto agora é chamado de um quadrado mágico. Você consegue ver como eles funcionam?

8	3	4
1	5	9
6	7	2

O truque

Este é o quadrado mágico da história. Primeiro, verifique se os números somam 15 em todas as direções.

Agora, veja se você pode resolver o próximo quadrado. Funciona da mesma maneira, mas a disposição dos números é diferente.

Que números devem ir para onde para fazer outro quadrado que soma até 15 em todas as direções?

		4
		3
6		8

Você pode criar um quadrado mágico a partir do nada, começando com uma grade vazia?

O que está acontecendo?

Na verdade, há várias maneiras de se fazer um quadrado mágico 3x3. Há, também, quadrados mágicos maiores, com grades 4x4 ou 5x5.

15	10	3	6
4	5	16	9
14	11	2	7
1	8	13	12

Neste quadrado, os números somam até 34 em todas as direções.

Há um truque para fazer um quadrado mágico 3x3.

Comece no espaço do meio, no topo, e escreva um 1.

1

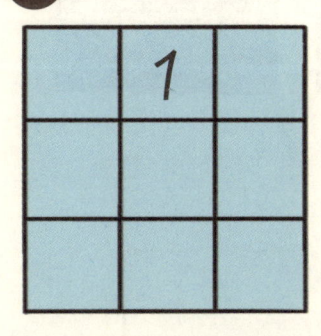

Se o espaço que você precisa usar estiver cheio, use o espaço abaixo dele e continue.

Quando o quadrado estiver cheio, veja se funcionou! Não funciona para um quadrado 4x4, porque não há espaço no meio. Funciona para 5x5?

Agora, continue escrevendo os números até 9, sempre colocando o próximo espaço de número um para cima e um para a direita. Se você estiver na borda do quadrado, vá para o lado oposto, assim:

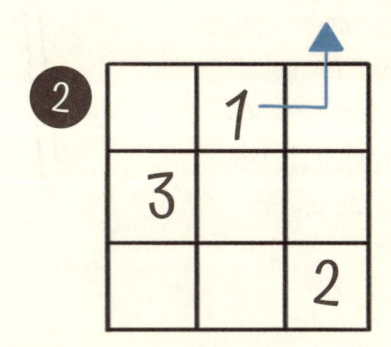

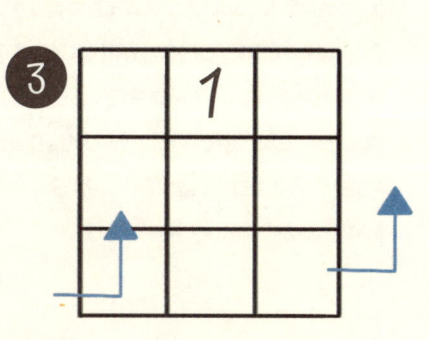

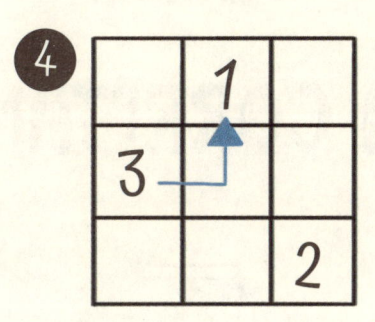

2

3

4

5

TRIÂNGULOS MÁGICOS

Os triângulos mágicos também existem! Você pode resolver este aqui? Todos os lados devem somar 19.

ESTRELAS MÁGICAS

Que tal uma estrela mágica? Preencha-a com os números de 1 a 12. Cada linha reta deve somar 26.

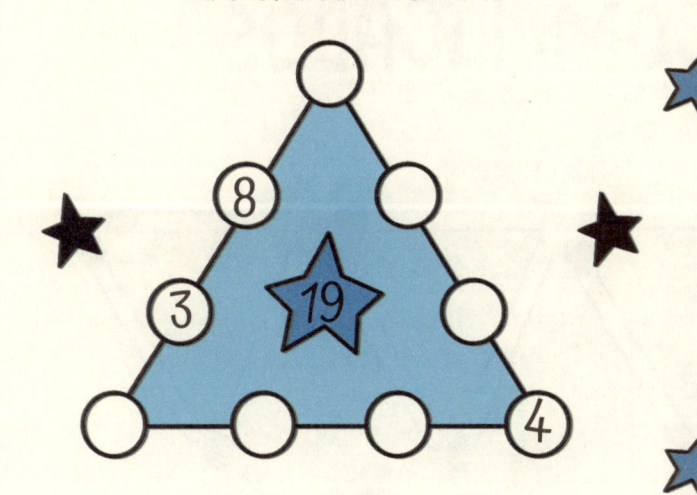

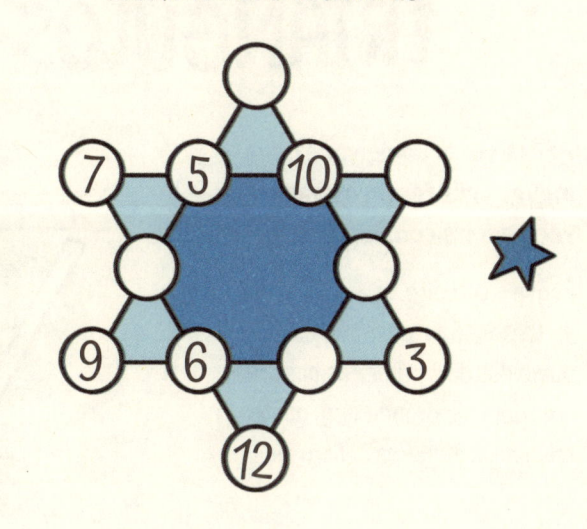

FÓSFOROS MATEMÁTICOS MÁGICOS

Estes truques combinam a matemática com fósforos! Desafie seus amigos para ver se eles podem resolvê-los, antes que você revele a resposta. Você não precisa de fósforos reais – você pode apenas desenhar as respostas no papel, ou recortar pequenas tiras de cartão para usar como fósforos.

Os truques...

FAÇA CORRETAMENTE

Aqui está uma equação horrivelmente errada feita de fósforos. Tudo que você tem que fazer é mover um fósforo para uma posição diferente, para torná-la correta. Na verdade, há duas maneiras de fazer isso!

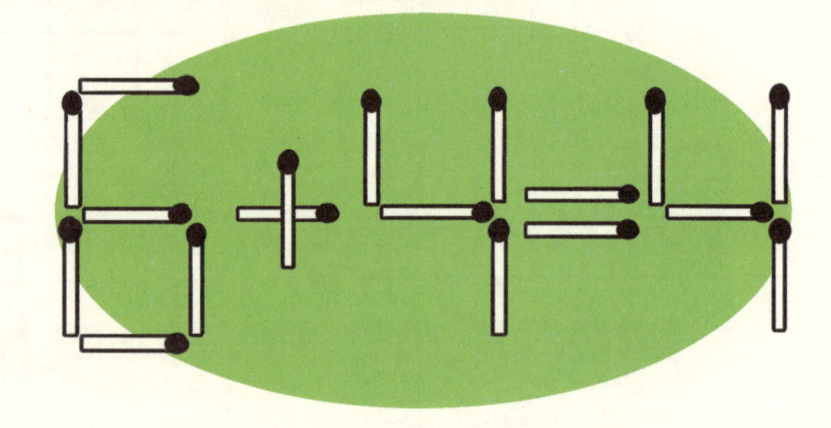

$6 + 4 = 4$

TRIÂNGULOS COMPLICADOS

Para este truque, você deve mover três fósforos para que você acabe com cinco triângulos.

Pegue o terceiro triângulo, composto de três fósforos, e mova-o por baixo dos dois primeiros para fazer um triângulo grande, com quatro triângulos menores dentro dele.

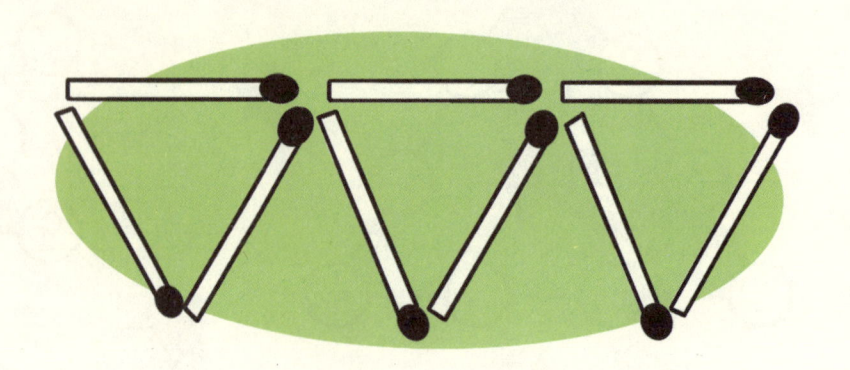

SETE QUADRADOS

Aqui está um padrão de quatro quadrados feitos com 12 fósforos. Mas, você quer sete quadrados! Mova apenas dois fósforos para fazer sete quadrados no total.

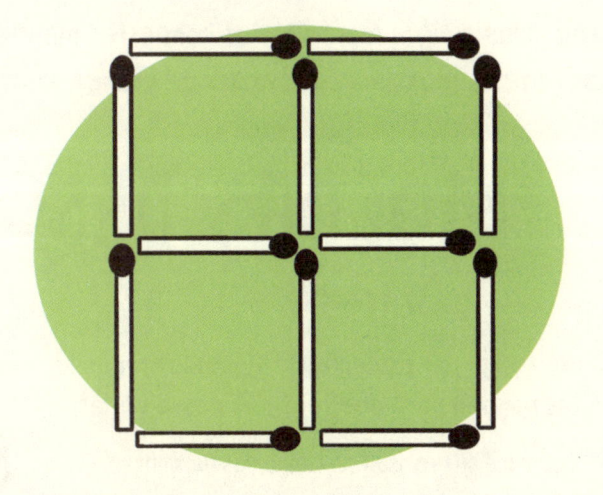

ONDE ESTÁ O QUADRADO?

Este é o truque mais traiçoeiro de todos eles. Mova um fósforo para fazer um quadrado.

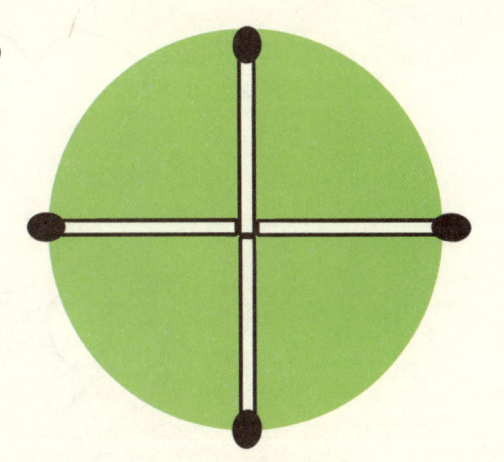

Você pode ver como todos eles estão se tocando?

Respostas:

FAÇA CORRETAMENTE

Você poderia mover a parte vertical do sinal de mais, transformando-o em um sinal de menos, e adicioná-la ao 6 para transformá-lo em um 8.

8 − 4 = 4

OU, você poderia pegar a parte do meio do 6, e mové-la para transformar o 6 em um 0.

0 + 4 = 4

SETE QUADRADOS

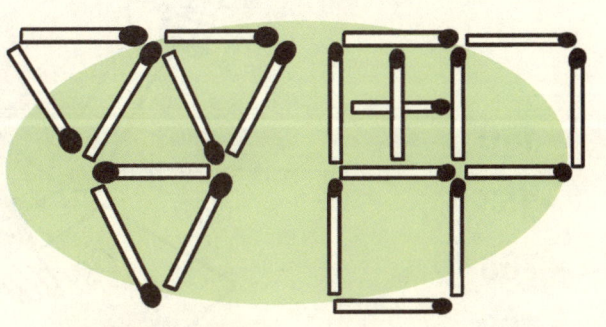

TRIÂNGULOS COMPLICADOS

ONDE ESTÁ O QUADRADO?

Mova o palito de cima de muito ligeiramente para deixar um quadrado minúsculo no meio.

Ninguém disse que tinha que ser um quadrado grande!

LEITURA DA MENTE MÁGICA

Deixe seus amigos maravilhados com estes magníficos truques de magia. Claro, eles não são realmente mágicos, mas matemáticos! (Talvez, você queira ensaiá-los algumas vezes primeiro).

MOEDAS DESCONHECIDAS

O truque

Peça a um amigo para selecionar algumas moedas e mantê-las na mão para que você não possa vê-las.

Diga-lhe que você só precisa fazer algumas perguntas simples, e você adivinhará quanto dinheiro existe.

Primeiro, peça-lhe para somar o valor das moedas. Por exemplo, estas moedas somariam até 75.

Em seguida, peça a seu amigo que faça estas etapas. (Ele pode precisar de uma calculadora.)

- Dobre o valor
- Adicione 3
- Multiplique o resultado por 5
- Subtraia 6...

e lhe diga a resposta!

Tudo o que você tem que fazer é tirar o último dígito, e essa é a quantidade de dinheiro!

Por exemplo, se o total fosse 75...

Dobre	= 150
Adicione 3	= 153
Multiplique por 5	= 765
Subtraia 6	= 759
Tire o último dígito	= 75!

> **O que está acontecendo?**
>
> As perguntas que você faz produzem um número que é 10 vezes a resposta, mais um número entre 1 e 9. Quando você tira o último dígito, você o divide por 10 e volta para a resposta certa!

NÚMEROS SECRETOS

Este truque funciona de maneira semelhante, mas permite adivinhar a idade de alguém e o tamanho de seus sapatos!

Peça à pessoa para fazer estas coisas, usando uma calculadora:

- Pense em sua idade
- Multiplique por 20
- Adicione a data de hoje (por exemplo, se for 11 de junho, adicionar 11)
- Multiplique o resultado por 5.
- Acrescente o tamanho de seus sapatos.
- Subtraia 5 vezes a data de hoje.
- Mostre-lhe a resposta.

A resposta deve lhe dar a idade deles, seguida do tamanho do sapato!

Por exemplo, imagine que ele tenha 9 anos e use sapatos tamanho 33... o resultado será 933.

Tamanho do sapato: 3.

Idade: 9.

PREVISÕES PECULIARES

Com estes truques, você não vai apenas adivinhar os números – você vai realmente prever os números PRIMEIRO. INACREDITÁVEL, hein?

E O NÚMERO É...

Antes de começar, escreva o número 5 em um pedaço de papel, dobre-o, e esconda-o em algum lugar, como dentro de um livro.

Diga a seu amigo que você vai adivinhar em que número ele está pensando. Aqui está o que ele tem que fazer:

Primeiro, pense em um número. (Pode ser qualquer número, mas mantê-lo pequeno vai facilitar a solução dos problemas).

- Duplique-o
- Adicione 10
- Divida o resultado por 2
- Subtraia o número que você pensou pela primeira vez.

Agora, diga a ele que você sabe com que número ele acabou. Peça-lhe que procure o pedaço de papel no local onde você o escondeu. Ele ficará surpreso quando o abrir e encontrar o número que está dentro de sua cabeça!

O que está acontecendo?

Como funciona? A resposta é sempre 5! Os cálculos sempre somam o número que eles pensaram, mais 5. Assim, quando subtraem seu número, sempre recebem 5.

O TRUQUE DO 37

Aqui está outro truque de número supersimples que parece mágico!

O truque

Pegue um lápis e papel, e um voluntário disposto a isso. Ele, provavelmente, também precisará de uma calculadora, pois o truque requer alguma divisão longa.

Peça a seu amigo para escrever um número de 3 dígitos no papel, onde o mesmo número é repetido três vezes. Por exemplo, 333. Seu amigo deve esconder o papel de você para provar que você não está trapaceando!

Agora, peça-lhe que adicione cada um dos três dígitos para encontrar uma soma:

3 + 3 + 3 = 9

Em seguida, ele deve dividir seu número original de 3 dígitos pelo total da soma menor. Dê-lhe um minuto ou dois para resolver isso!

333 ÷ 9 = 37

Desde que seu amigo tenha seguido as instruções corretamente, sua resposta será sempre 37!

O TRUQUE DO 1.089

Aqui está outro truque onde você pode prever a resposta... porque é sempre 1.089!

1 456

O truque

Peça a um amigo para escolher um número de 3 dígitos, em que todos os dígitos sejam diferentes.

2 456 654

Agora, peça-lhe para inverter seu número, fazendo dois números de imagem espelho.

3 198

Com uma calculadora, peça-lhe para subtrair o número menor do número maior.

4 198 891

A seguir, ele deve virar a resposta, fazendo mais dois números de imagem espelho.

5 1.089

Finalmente, acrescente esses dois números juntos.

Para surpreender seu amigo, mostre-lhe o número 1.089, que você escondeu sorrateiramente!

$9.801 ÷ 1.089 = 9$

E você pode sempre usar dois números de 3 dígitos para fazer 1.089, usando os passos acima.

O que está acontecendo?

O número 1.089 tem várias qualidades especiais. É um número quadrado (33 x 33) e é, também, um "número de divisão inversa". Se você o inverter, fazendo 9.801, o resultado é divisível por 1.089.

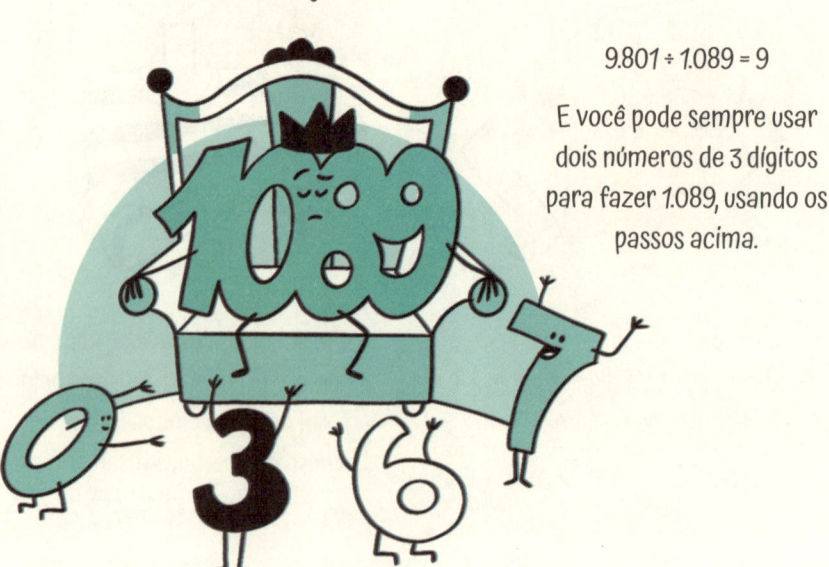

O TRUQUE DO 7-11-13

Este truque faz você parecer rápido como um raio nos cálculos mentais! Tenha uma caneta e um papel à mão.

O truque

Peça a seu amigo que pense em qualquer número de 3 dígitos, e lhe diga qual é.

Diga-lhe que você vai pedir que faça alguns cálculos usando uma calculadora, enquanto você tenta fazê-los em sua cabeça. Peça a seu amigo que multiplique o número dele por 7, depois por 11, depois por 13.

Mas, como ele está fazendo isso, simplesmente escreva o número que ele lhe disser, repetido.

Então, se o número dele era 983, escreva "983.983".

Grite "Feito!" e mostre-lhe o papel. Será a resposta certa!

983, x 7, x 11, x 13

O que está acontecendo?

Este truque desconcertante é mais simples do que parece: 7 x 11 x 13 = 1.001.

E se você multiplicar qualquer número por 1.001, você recebe 1.000 vezes esse número, mais 1 x o número:

983 x 1.000 = 983.000
+
983 x 1 = 983

= 983.983

983!

MOEDAS REVIRADAS

Este truque realmente parece mágica!

O truque

Sente-se em uma mesa e peça a seus amigos que lhe vendem os olhos. Em seguida, peça-lhes que coloquem 12 moedas na mesa e lhe digam quantas são caras.

Explique que você vai organizar as moedas, sem vê-las, em dois grupos, ambos com o mesmo número de caras.

Basta lembrar o número de caras, e mover esse número de moedas para um grupo separado. Em seguida, vire todas as moedas desse grupo. (embaralhe as moedas para esconder o que você está fazendo.) Ta-da! Ambos os grupos terão o mesmo número de caras!

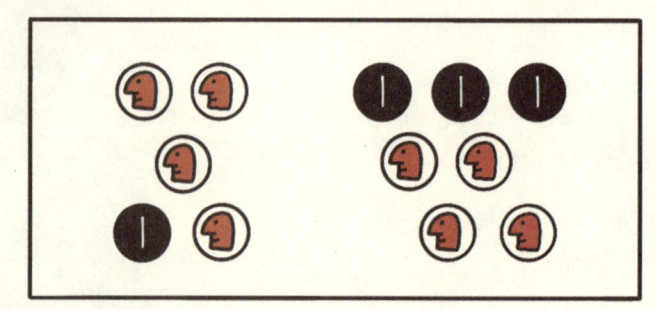

O que está acontecendo?

Parece incrível, mas é uma matemática simples.

Imagine que 3 das 12 moedas são caras.

Mova 3 moedas para um grupo separado.

Se forem todas caras, o outro grupo não deve ter caras. Ao virá-las, elas serão todas coroas, combinando com o outro grupo.

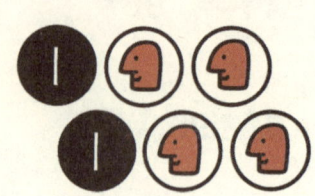

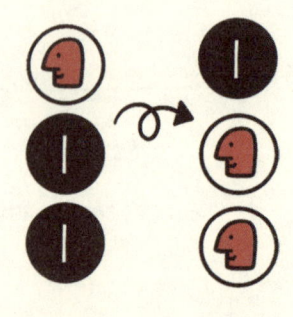

Se você tiver 1 cara e 2 coroas, isso significa que o outro grupo deve ter 2 caras. Vire suas 3 moedas, e eles terão 2 caras também!

Por mais que muitas moedas sejam caras, isso sempre funciona. Experimente!

O TRUQUE DO CALENDÁRIO

Para este truque, você precisa de um calendário antigo, que mostre cada mês em uma grade, como esta.

O truque

Peça a um amigo para desenhar quaisquer nove números em um bloco, como mostrado (sem você ver):

Em seguida, peça-lhe que some os nove números e lhe diga a resposta. Diga que você pode dizer a ele qual número está no meio. Usando uma calculadora, basta dividir o número por 9. Aí está sua resposta!

O que está acontecendo?

Em qualquer bloco de 9 números de calendário, o do meio será sempre a média de todos os números - porque todos os outros números estão a distâncias iguais acima e abaixo dele. Experimente e veja!

POLIEDRO POP-UP

Faça esta forma mágica para um perfeito truque de poliedro!

Um poliedro é uma forma 3D com lados planos composta de polígonos. Os polígonos são formas com lados retos. Este poliedro, chamado de dodecaedro, tem 10 lados, e cada lado é um pentágono perfeito.

O truque

Para fazer o poliedro, você precisa de uma velha caixa de cereais, uma régua, um lápis, uma tesoura e um elástico.

Primeiro, desenhe ou trace duas cópias desta forma no interior da caixa de cereais. É um pentágono cercado por outros cinco pentágonos, todos do mesmo tamanho.

Recorte as formas, e dobre ao longo de todas as linhas tracejadas em ambas as direções, para que elas se dobrem facilmente

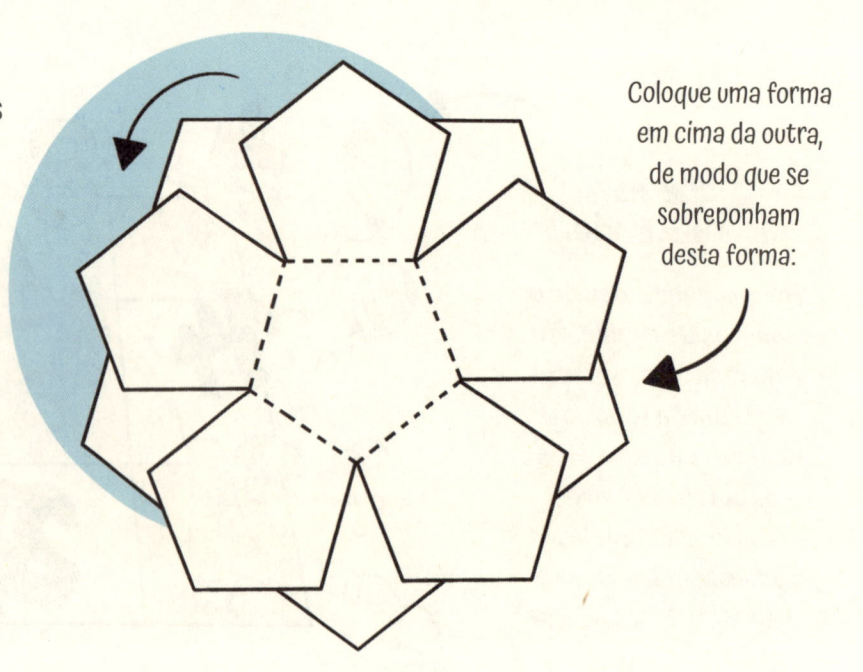

Coloque uma forma em cima da outra, de modo que se sobreponham desta forma:

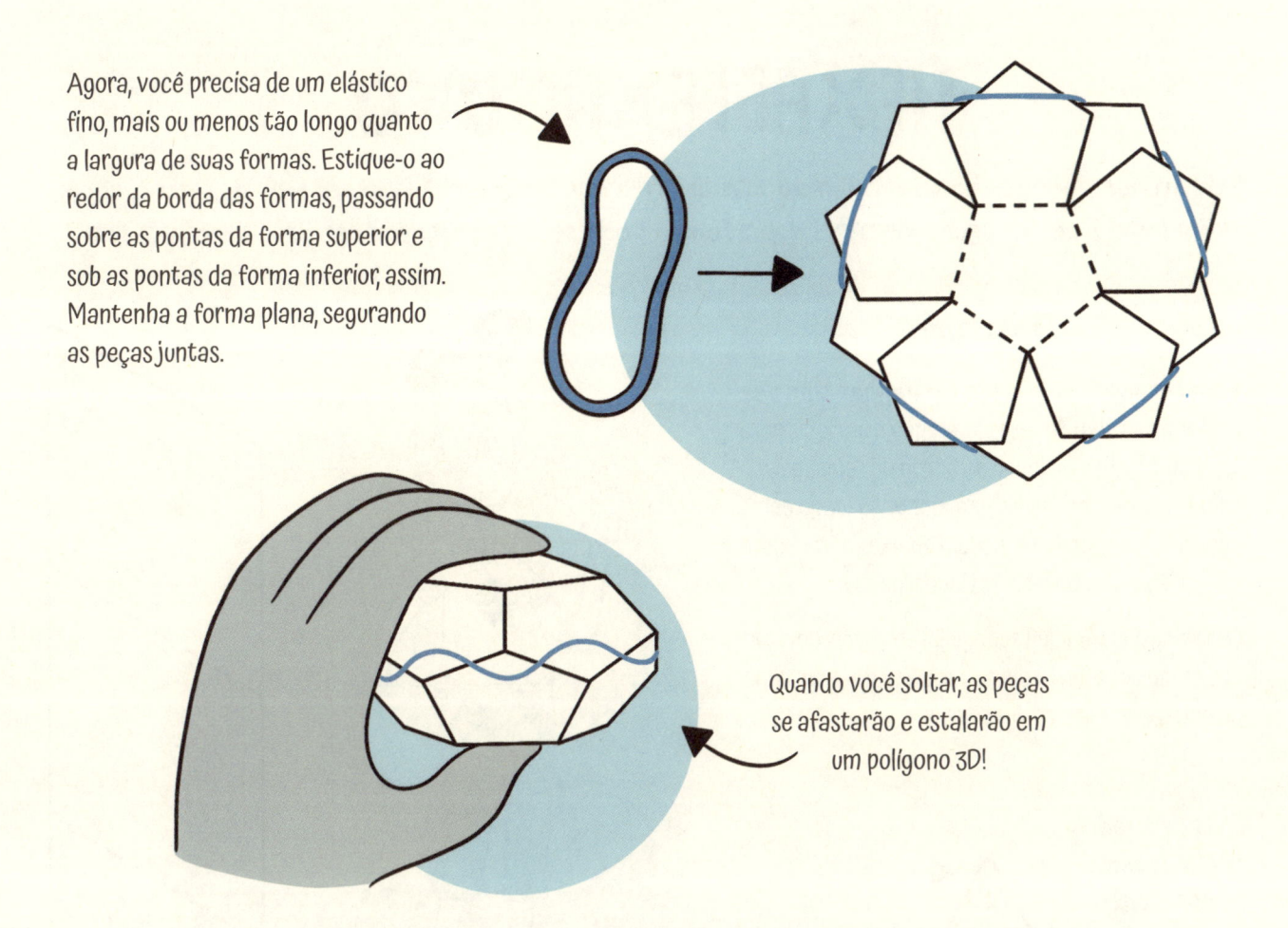

Agora, você precisa de um elástico fino, mais ou menos tão longo quanto a largura de suas formas. Estique-o ao redor da borda das formas, passando sobre as pontas da forma superior e sob as pontas da forma inferior, assim. Mantenha a forma plana, segurando as peças juntas.

Quando você soltar, as peças se afastarão e estalarão em um polígono 3D!

O que está acontecendo?

As formas planas das flores do pentágono são chamadas de "redes". Quando os pentágonos se dobram, cada flor forma a metade do dodecaedro. Quando você estica o elástico ao redor das pontas, ele as puxa para dentro, fazendo os pentágonos se dobrarem juntos, formando a forma 3D!

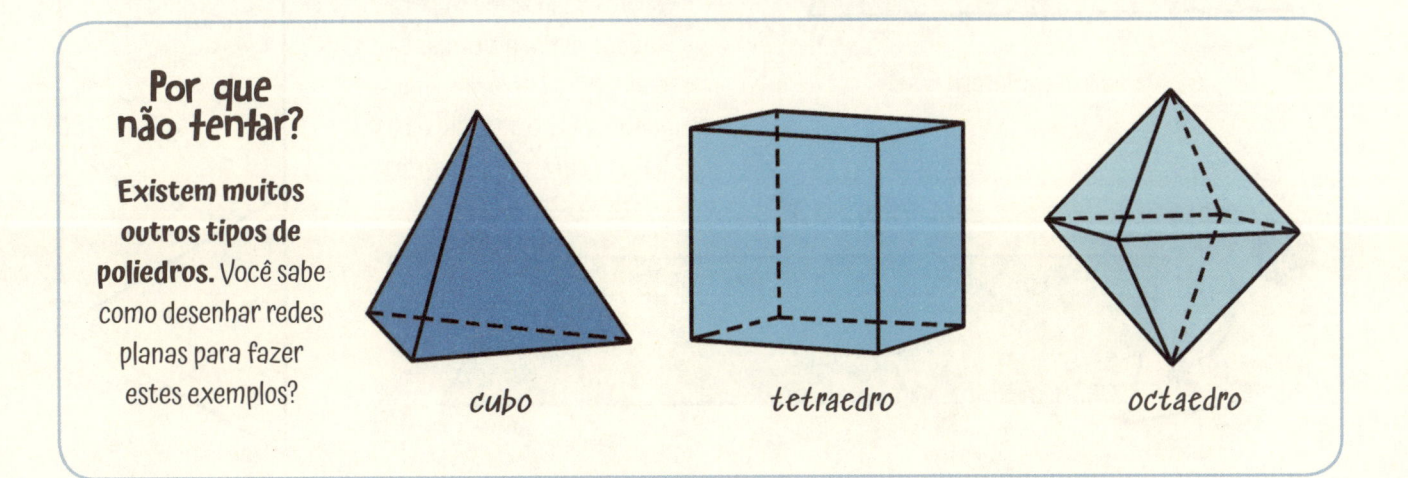

Por que não tentar?

Existem muitos outros tipos de poliedros. Você sabe como desenhar redes planas para fazer estes exemplos?

cubo   tetraedro   octaedro

79

HEXAFLEXÁGONO

Este truque pode ser confuso no início, mas uma vez que você tenha feito seu hexaflexágono, você vai adorar! É um hexágono de papel dobrado que pode se virar infinitamente de dentro para fora.

O truque

Papel espesso ou pesado é o melhor tipo de papel a ser usado. Use uma régua e um lápis para marcar uma tira ao longo da borda de seu papel, com cerca de 3 cm de largura. Corte ao longo dela, depois copie ou trace o modelo abaixo, marcando-o com triângulos equiláteros (lados iguais).

Os triângulos têm que ser equiláteros, pois devem dobrar-se um sobre o outro e encaixar um em cima do outro em todas as direções.

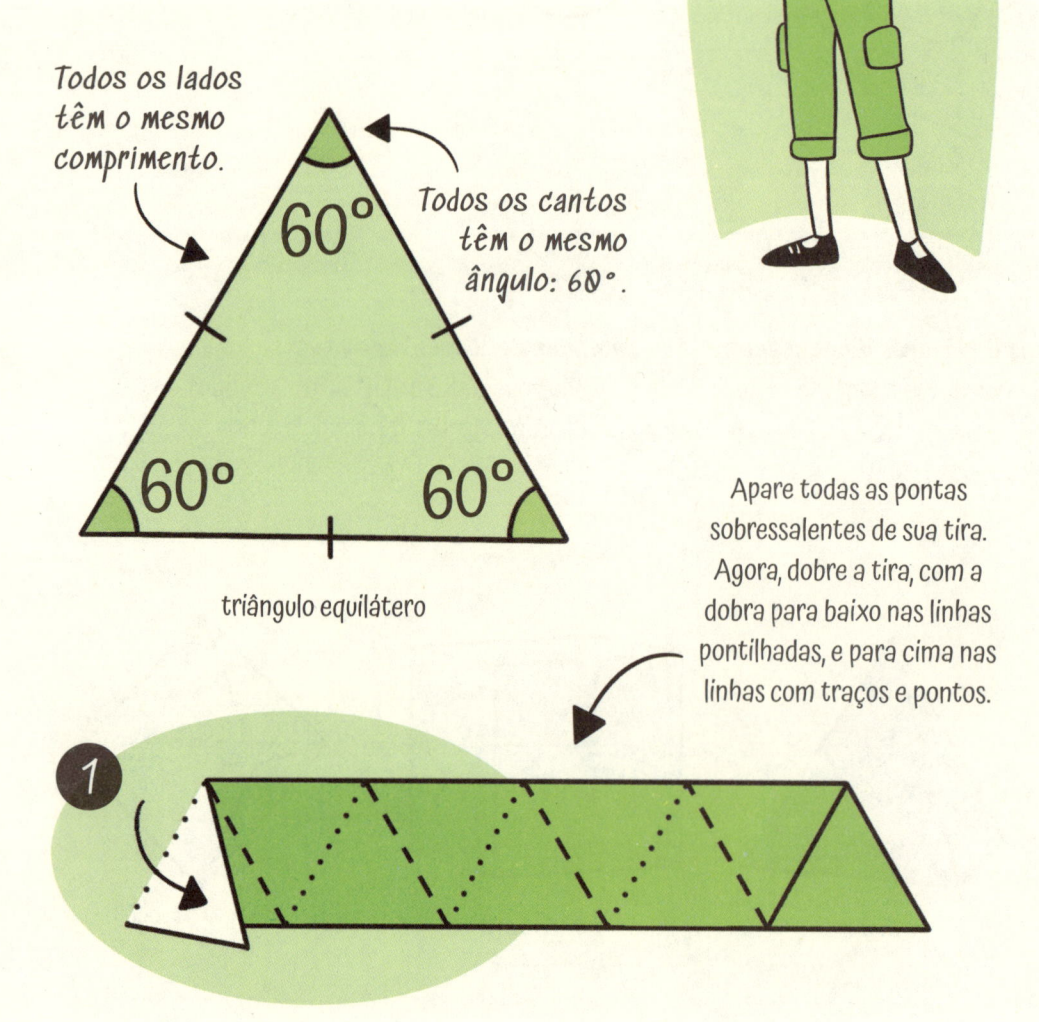

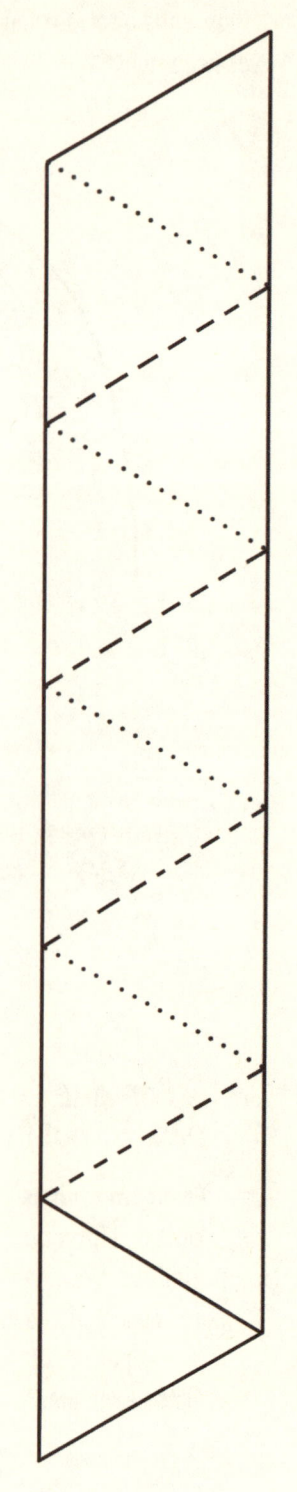

Todos os lados têm o mesmo comprimento.

Todos os cantos têm o mesmo ângulo: 60°.

triângulo equilátero

Apare todas as pontas sobressalentes de sua tira. Agora, dobre a tira, com a dobra para baixo nas linhas pontilhadas, e para cima nas linhas com traços e pontos.

1

80

2 Agora abra a faixa.

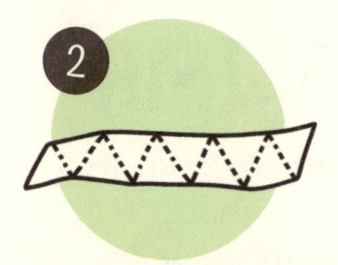

3 Comece de uma ponta e dobre ao longo da terceira dobra, depois a terceira dobra.

4

5 Isto fará uma forma hexagonal com um triângulo de fora.

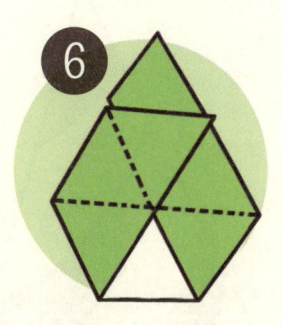

6 Enfie esse triângulo sob o primeiro triângulo.

7 Em seguida, dobre-o e cole-o no primeiro triângulo.

Para "flexionar" seu hexaflexágono, segure-o bem plano e dobre-o em três triângulos, como mostrado. Aperte-os juntos e, depois, tire os três pontos do meio. Seu hexaflexágono virou de dentro para fora! Você pode fazer isso de novo e de novo.

O que está acontecendo?

A forma como um hexaflexágono é dobrado significa que cada triângulo do hexágono é feito de duas camadas, unidas em apenas um lado. Quando você o "flexiona", elas podem mudar de posição e fazer um novo hexágono.

Você pode decorar cada superfície plana de seu hexaflexágono para que, a cada vez que você o "flexione", um novo desenho se revele.

ROLANDO MORRO ACIMA

Diga a seus amigos ou familiares que você pode fazer uma forma tão matematicamente mágica, que ela vai rolar para cima! Eles não vão acreditar – mas você pode. No entanto, certifique-se de preparar tudo, e experimente primeiro, pois pode ser complicado acertar.

O truque

Para fazer a forma mágica, você precisa de dois objetos em forma de cone. Dois funis de lados retos funcionam bem, se tiverem o mesmo tamanho e forma. Ou você pode usar blocos de madeira em forma de cone, se você os tiver, ou embalagens em forma de cone, como cones para lanches.

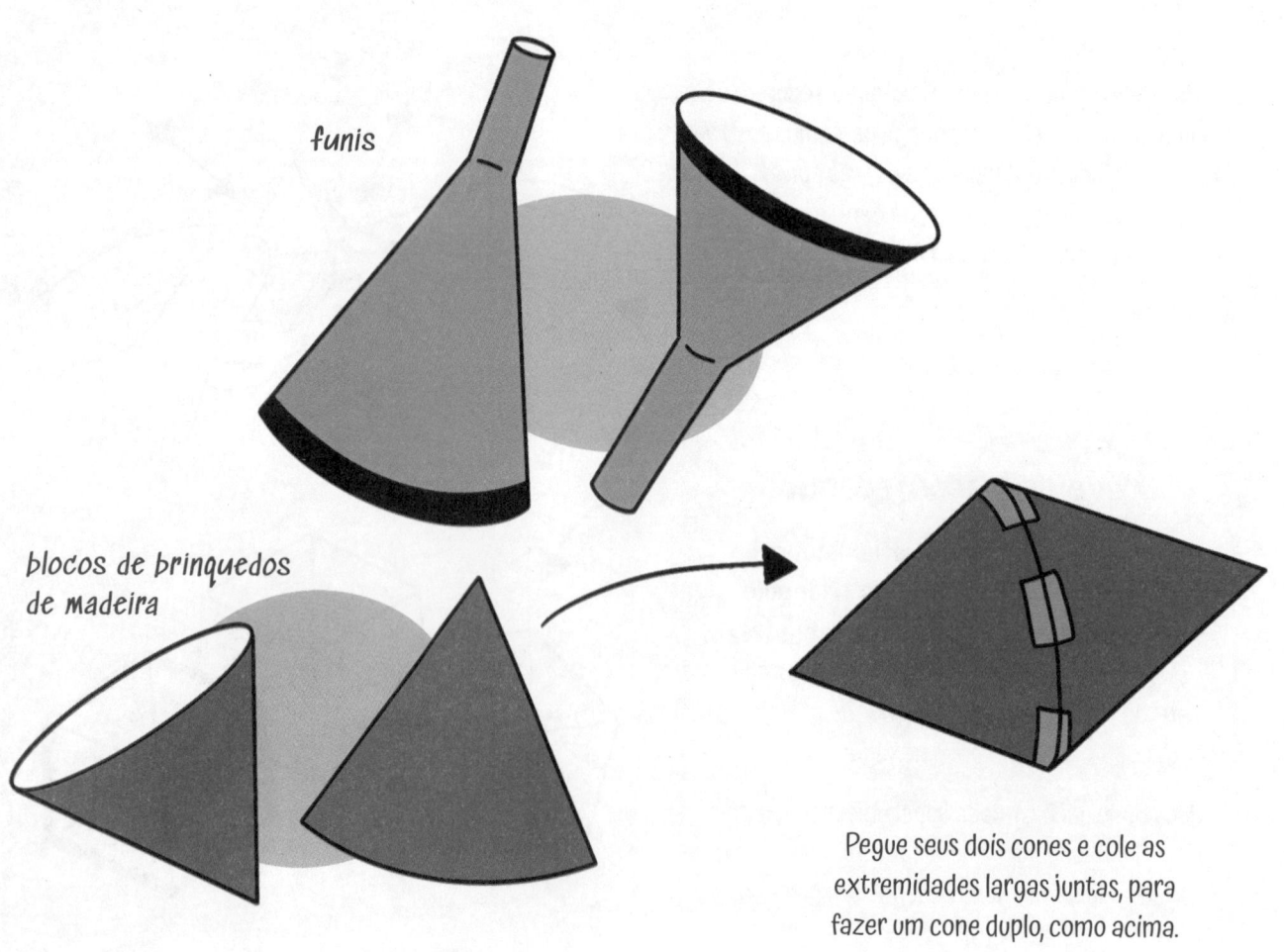

cones de salgadinho

funis

blocos de brinquedos de madeira

Pegue seus dois cones e cole as extremidades largas juntas, para fazer um cone duplo, como acima.

Agora, você precisa de duas réguas de 30 cm, ou pedaços de madeira similares, longos e retos, e alguns livros.

Faça duas pequenas pilhas de livros, uma ligeiramente mais alta do que a outra, com cerca de 25 cm de distância.

Coloque as réguas sobre os livros em forma de V, com a ponta do V na extremidade inferior.

Quando você coloca a forma de cone na extremidade inferior do V assim, ela deve rolar suavemente em direção à extremidade superior! Lembre-se, porém, que pode não funcionar no início - você pode precisar ajustar a inclinação e a forma do V até que funcione.

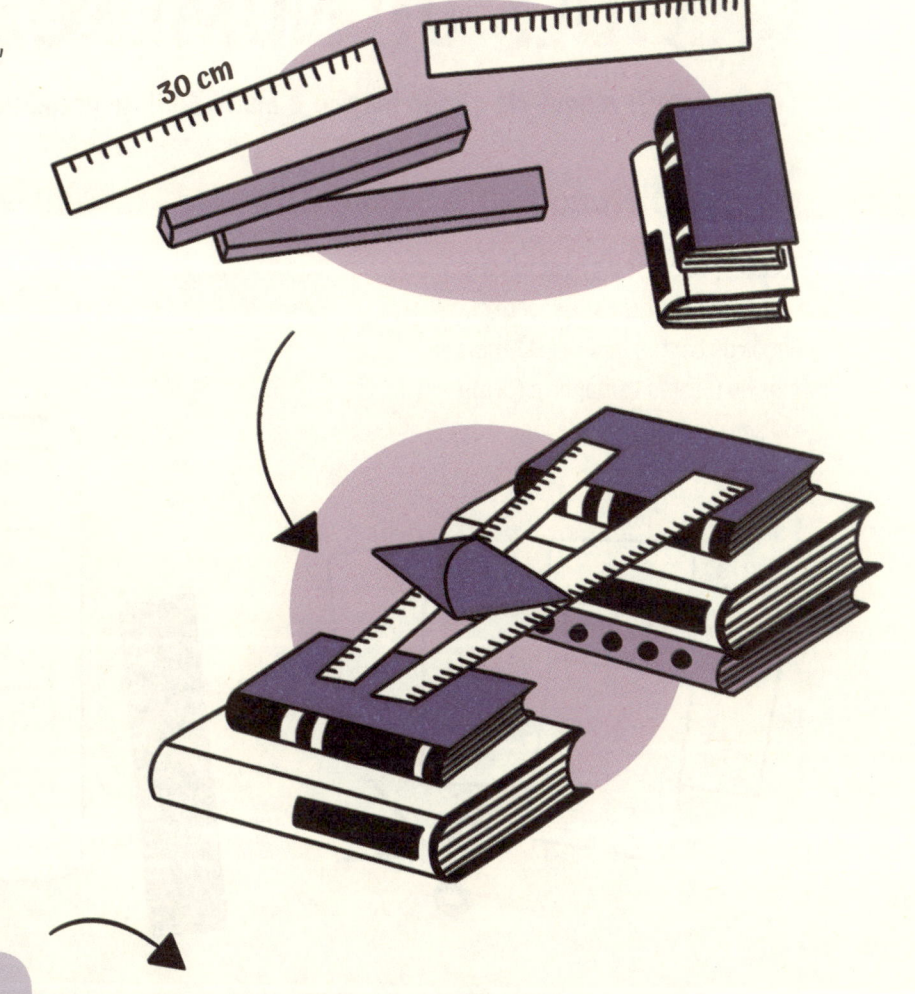

O que está acontecendo?

A razão pela qual isto funciona é por causa da forma inclinada do cone. Na extremidade estreita do V, o cone duplo está descansando em sua parte mais grossa, perto do meio. Mas, onde as réguas estão mais afastadas, o cone está descansando em suas pontas.

Isto significa que o cone, de fato, se move ligeiramente para baixo em sua jornada - e é por isso que ele rola dessa forma!

CARTÕES DE NÚMEROS MÁGICOS

Este incrível truque de cartão mágico é muito fácil de preparar, e muito difícil de descobrir!

O truque

Primeiro, faça seu próprio conjunto de cartões mágicos. Recorte cinco pedaços de cartas (cartolina), mais ou menos do mesmo tamanho e forma, como se fossem cartas de jogo.

Desenhe linhas em cada carta para fazer uma grade de 15 caixas.

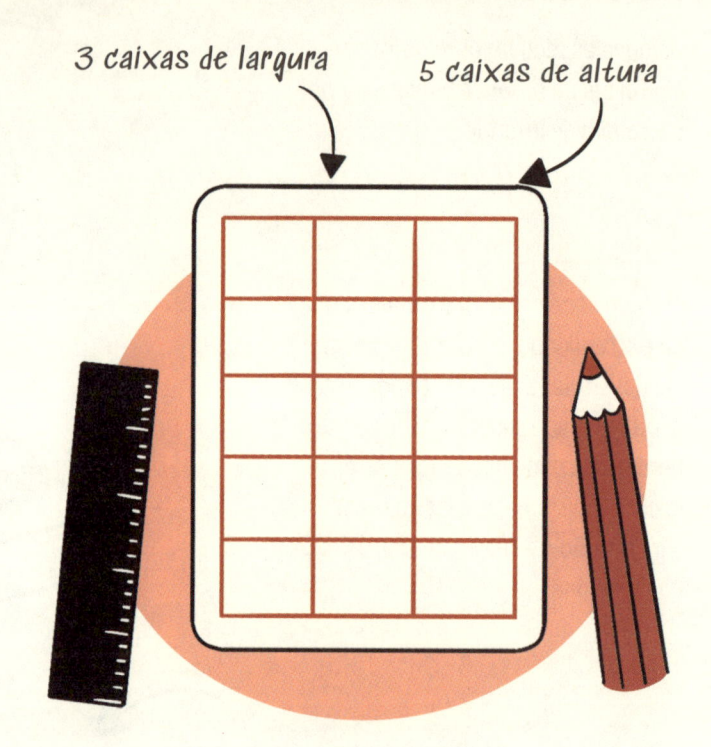

3 caixas de largura

5 caixas de altura

Agora, preencha as caixas com os números mostrados abaixo.
(Você precisará copiá-los exatamente para que o truque funcione!)

1	3	5
7	9	11
13	15	17
19	21	23
25	27	29

2	3	6
7	10	11
14	15	18
19	22	23
26	27	30

4	5	6
7	12	13
14	15	20
21	22	23
28	29	30

8	9	10
11	12	13
14	15	24
25	26	27
28	29	30

16	17	18
19	20	21
22	23	24
25	26	27
28	29	30

Agora, para realizar seu truque! Peça a um amigo ou familiar para pensar em um número de 1 a 30.

Mostre-lhe a primeira carta, e pergunte: "O seu número está nesta carta? Ele responderá "sim" ou "não".

Faça o mesmo com as outras quatro cartas. Sempre que eles disserem "sim", lembre-se do primeiro número do cartão que você está mostrando a eles.

Em sua cabeça, some os números. O resultado é o número que eles escolheram. Imagine-os "adivinhando-o" corretamente!

Por exemplo, se o número deles for 21, eles dirão "sim" a estes cartões.

Some 1, 4 e 16, e você chegará ao... 21!!

O que está acontecendo?

**Qual é o segredo?
É fácil quando você sabe como!**

Cada número entre 1 e 30 pode ser feito usando estes números.

1   2   4   8   16

E estes são os números com os quais os cartões começam.

Por exemplo, para fazer o número 21, você precisa de um 16, um 4 e um 1.

Assim, o número 21 aparece nas cartas que começam com um 1, um 4, e um 16.

O mesmo vale para todos os números. Assim, você pode descobrir qualquer número a partir dos cartões em que ele aparece.

Por que não tentar?

Este truque também pode funcionar para números maiores. Você consegue descobrir como fazer cartões que funcionariam até 50 ou 100?

Capítulo 5: Curioso e Curioso

OS 17 CAMELOS

Este é o curioso conto dos 17 camelos. Você pode dizer como funciona?

O truque

Há muito tempo, havia um homem velho que tinha três filhos. Antes de morrer, ele disse a seus filhos que deixaria seu rebanho de camelos para eles. O filho mais velho deveria ter metade dos camelos, o do meio, 1/3 dos camelos e o filho mais novo, 1/9 dos camelos.

Após a morte do pai, os filhos foram dividir os camelos. Mas, havia 17 camelos, e por mais que tentassem, não conseguiam dividi-los como seu pai havia instruído. Por sorte, vivia por perto uma velha mulher sábia, e os três filhos foram pedir seu conselho.

"17 camelos, hmm?" ponderou a velha mulher. "Eu sei o que fazer". Ela montou seu próprio camelo até a casa do velho, e o acrescentou ao rebanho. "Agora, tentem novamente", disse ela. Os filhos descobriram que eles podiam dividir os camelos facilmente.

O filho mais velho recebeu metade dos camelos —

Metade de 18 = 9 camelos.

O filho do meio recebeu 1/3 dos camelos -

$1/3$ de 18 = 6 camelos.

O filho mais novo ficou com 1/9 dos camelos -

$1/9$ de 18 = 2 camelos.

Isso somou 17 camelos, então, a mulher foi para sua casa montada em seu camelo novamente!

O que está acontecendo?

Os filhos tiveram um problema porque 17 é um número primo. Ele só pode ser dividido por si mesmo e 1 - não por 2, 3, ou 9. Ao adicionar um camelo, a mulher idosa fez um rebanho de 18 camelos - e 18 pode ser dividido por 2, 3, e 9. Os filhos levaram 1/2, 1/3, e 1/9 de 18, não de 17. Mas, isto somou 17, então, ela conseguiu seu camelo de volta!

O PECULIAR PI

Pi é um número – mas, não um número normal, como 2, 5 ou 73. Pi é o que se obtém quando se divide a circunferência de um círculo (a distância ao redor da borda) por seu diâmetro, ou largura.

PI DAS TORTAS

Ada, Albert e Alan fizeram, cada um deles, uma torta. Eles querem calcular o Pi usando suas tortas.

A torta de Ada:
circunferência: 53,5 cm
diâmetro: 17 cm

A torta de Alan:
circunferência: 201 cm
diâmetro: 64 cm

A torta de Albert:
circunferência: 22 cm
diâmetro: 7 cm

O truque

Com uma calculadora, divida a circunferência pelo diâmetro para cada torta. Você percebe algo sobre os resultados? Eles são todos praticamente iguais, porque Pi é sempre o mesmo!

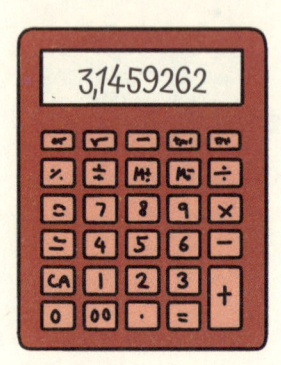

3,1459262

O que está acontecendo?

Não importa o tamanho de um círculo, sua circunferência é sempre um pouco mais de 3,14 vezes seu diâmetro. Em matemática, isto é chamado de constante.

Quando medido com muita precisão, o Pi é um número decimal que continua para sempre.

Os matemáticos calcularam Pi até trilhões de casas decimais usando computadores. Para economizar espaço, eles escrevem Pi usando este símbolo:

π

3,14159265358979323846264338327950288419716939937510582097494459230781

O TRUQUE DO PI

Para a maioria dos cálculos, os matemáticos arredondam Pi para baixo, e usam apenas as primeiras casas decimais: → **3,141592**

O truque

Aqui está um truque útil para lembrar as primeiras 6 casas do Pi! Basta memorizar a frase "How I wish I could calculate Pi" (Como eu gostaria de poder calcular o Pi). O número de letras em cada palavra faz Pi:

How	I	wish	I	could	calculate	Pi
3	1	4	1	5	9	2

POEMAS DO PI

Você pode usar a técnica acima para lembrar Pi a qualquer número de dígitos.

Invente uma frase tola onde cada palavra corresponda ao número correto de letras.

Aqui está um exemplo:

May I have a
3   1   4 1
large container
  5   9
of coffee,
2   6
cream, and
  5   3
sugar?*
  5

*Posso tomar um grande recipiente de café, creme e açúcar?

AZULEJOS DE PI

O truque

Um símbolo Pi endireitado pode tesselar.
Isso significa que azulejos desta forma podem se encaixar para cobrir uma superfície sem lacunas. Você consegue descobrir como?

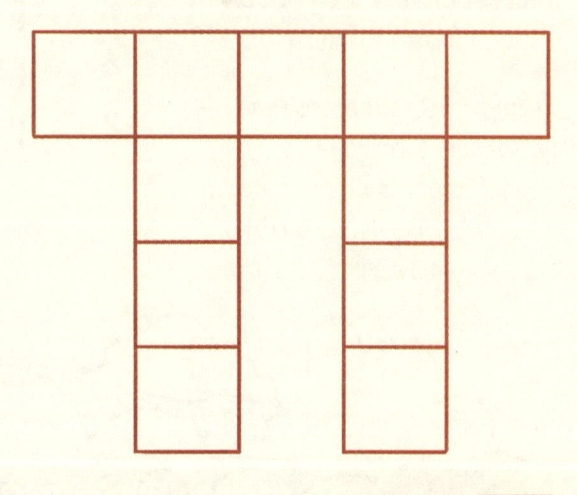

Aqui está a resposta!

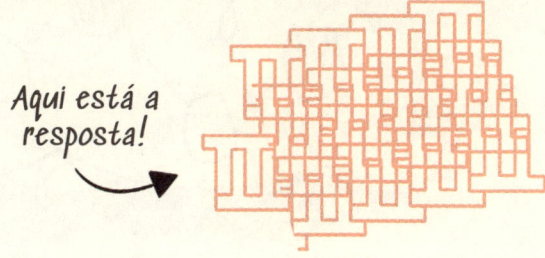

NÚMEROS DE GRANIZO

As pedras de granizo saltam para cima e para baixo dentro de nuvens antes de, finalmente, caírem no chão. Os números das pedras de granizo são semelhantes!

O truque

Para fazer uma série de números de pedra de granizo, comece com qualquer número inteiro acima de zero. (Isso significa um número normal, como 6 ou 23, não uma fração, ou um número decimal como 6,5).

Vamos começar com o número... 6

Siga estas duas regras simples:

Se seu número for par, reduza-o à metade para obter o próximo número.

Se o seu número for ímpar, multiplique por 3 e acrescente 1 para obter o próximo número.

... assim, para 6, são necessários 8 passos para terminar em 1. No caminho, os números saltam para cima e para baixo, depois caem no chão, como uma pedra de granizo.

6	par	divida pela metade	= 3
3	ímpar	multiplique por 3 e some 1	= 10
10	par	divida pela metade	= 5
5	ímpar	multiplique por 3 e some 1	= 16
16	par	divida pela metade	= 8
8	par	divida pela metade	= 4
4	par	divida pela metade	= 2
2	par	divida pela metade	= 1

Seja qual for o número com que você começa, sempre parece acabar em 1. Alguns números saltam por mais tempo que outros. Por exemplo, se você começa com 7, você terá:

7 → 22 → 11 → 34 → 17 → 52 → 26 → 13 → 40 → 20 → 10 → 5 → 16 → 8 → 4 → 2 → 1

Experimente com qualquer número que você goste, e veja o que acontece!

O que está acontecendo?

Ninguém realmente sabe! Este truque também é conhecido como a "conjectura Collatz", depois que o matemático alemão Lothar Collatz o descobriu, em 1937. Os matemáticos o testaram com muitos números, e todos eles terminaram em 1. Mas, ainda não podemos ter certeza se ele funciona para cada número.

Você sabia?

Este é o tipo de quebra-cabeças em que os matemáticos gênios da vida real passam seu tempo pensando! Eles tentam resolver enigmas como este encontrando uma "prova" - um cálculo matemático que mostre como o enigma funciona, e se ele funciona para cada número.

TRUQUES DA TABUADA

Aprender todas as tabuadas pode parecer uma tarefa difícil. Facilite um pouco as coisas com estes curiosos truques de multiplicação! Multiplique facilmente os números de 1 a 10 por 9, usando apenas duas mãos.

O truque do 9

Estenda suas duas mãos na sua frente, com os dedos estendidos.

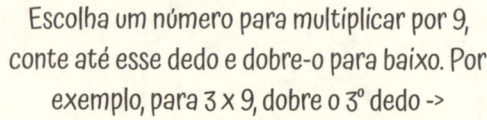

Escolha um número para multiplicar por 9, conte até esse dedo e dobre-o para baixo. Por exemplo, para 3 x 9, dobre o 3º dedo ->

Agora, conte os dedos à esquerda do dedo dobrado ... e os dedos à direita dele ... Junte-os para fazer 27 - e essa é a sua resposta!

Funciona para todos os seus dedos. Aqui estão 8 x 9:

Responda: 72!

O truque do 11

Os primeiros 10 resultados da tabuada do 11 são bastante fáceis, pois você apenas dobra o número.

1 x 11 = 11

2 x 11 = 22

3 x 11 = 33 ... e assim por diante.

Mas, este truque permite multiplicar números maiores por 11 instantaneamente. Ele funciona para qualquer número de 2 dígitos.

Escolha um número para multiplicar por 11. Por exemplo, 23.

23 × 11

Escreva o 2 e o 3, com uma lacuna no meio.

2 _ 3

Agora, junte o 2 e o 3:

2 + 3 = 5

E escreva o resultado na lacuna:

2 5 3 ▼

Essa é a resposta!

Às vezes, quando você adiciona os dois números, você soma um número de 2 dígitos como 15. Se isso acontecer, carregue o 1 e adicione-o ao primeiro número, assim ...

78 × 11

Escreva 7 e 8 com uma lacuna no meio:	**7 _ 8**
Acrescente 7 + 8	**7 + 8 = 15**
Escreva o 5 no meio e carregue o 1	**7 ¹5 8**
Adicione o 1 ao 7	**8 5 8**

78 × 11 = 858!

CALCULADORA DE DEDOS

Aqui está outro truque de dedos que lhe permite multiplicar as tabuadas do 6, 7, 8 e 9 usando suas mãos.

O truque

Estenda suas mãos com as palmas voltadas para você, e seus dedos apontando um para o outro, assim:

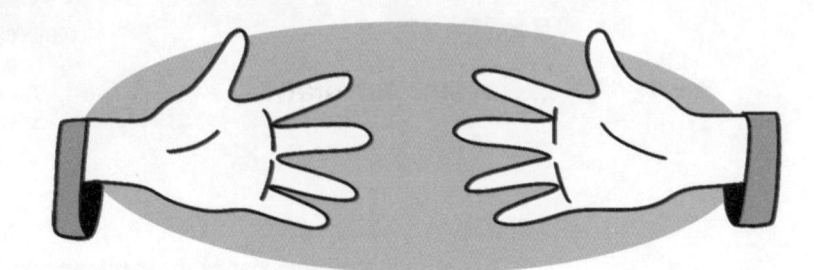

Agora, imagine que os dedos de ambas as mãos estão numerados de 6 a 10, assim:

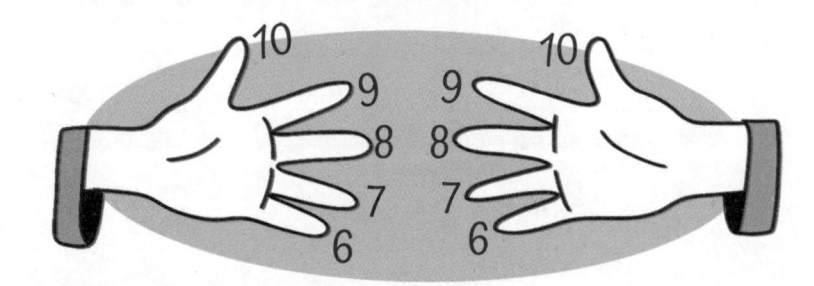

Para multiplicar dois números, toque os dedos para esses números juntos.

Assim, para 9 x 8, você faria isto:

Agora, conte para cima os dois dedos que tocam, e todos os dedos abaixo deles. Isto lhe dá o primeiro número em sua resposta (os 10s).

Existem 7 dedos, portanto, a primeira parte é 7.

7 _

Agora, conte os dedos acima dos dedos em cada mão, e multiplique-os juntos. Isto lhe dá a segunda parte de sua resposta (os 1s)

Há 1 dedo à esquerda e 2 à direita.

Portanto, são 2 x 1 = 2

72

... e a resposta é 72!

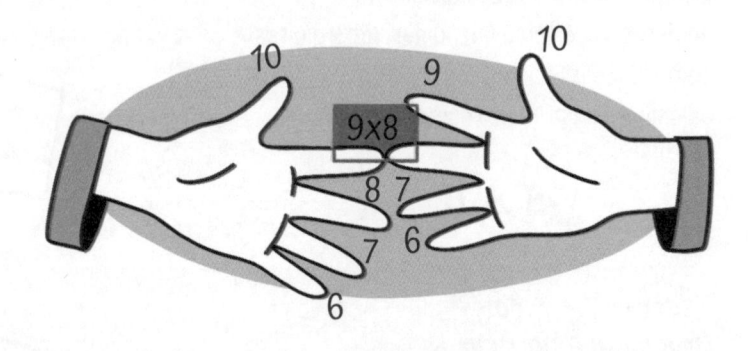

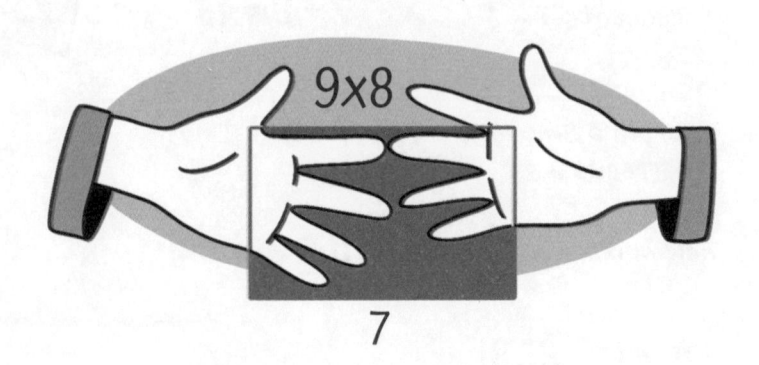

Se multiplicar os dois números lhe der um número de 2 dígitos, carregue o 1, e adicione-o aos 10s, assim.

6 x 7

Dedos que tocam mais os dedos abaixo deles = 3

3 _

Dedos acima = 4 à esquerda e 3 à direita...

4 x 3 = 12

3 1 2

4 2

6 x 7 = 42.

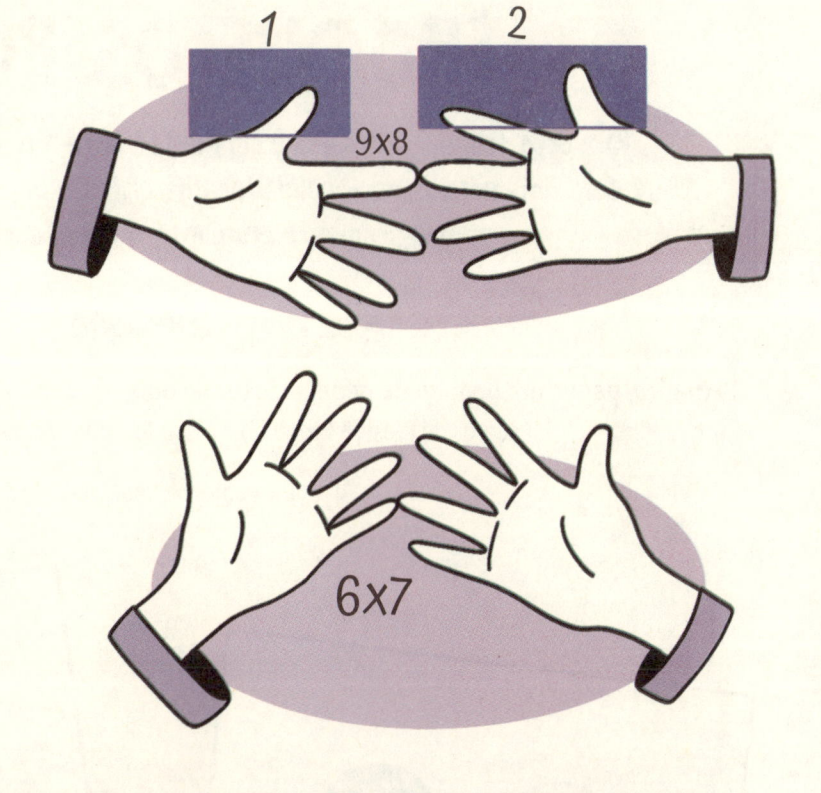

O que está acontecendo?

Todos estes truques de multiplicação funcionam, basicamente, porque contamos em 10s.
Números próximos a 10, como 9 e 11, seguem padrões que são bastante fáceis de encontrar.
A calculadora de dedos usa 10 dedos. Para encontrar as respostas, você está realmente apenas contando a que distância cada número está de 10. Organizar estes números na forma correta lhe dá os resultados.

Você sabia?

Há muito tempo, antes dos computadores e calculadoras, as pessoas usavam os ábacos de forma semelhante.
Linhas diferentes de contas representavam 1s, 10s, 100s e assim por diante, e você podia fazer cálculos movendo as contas de um lado para o outro.

TROQUE OS PONTOS

Para este truque, o desafio é simples! Mostre a um amigo um pedaço de papel com dois pontos de tonalidades diferentes e diga-lhe que você os reverterá magicamente enquanto o papel estiver dobrado.

O truque

Primeiro, pegue um pedaço de papel e desenhe dois pontos nele - por exemplo, um laranja, um preto. Faça-os do mesmo tamanho e coloque-os uniformemente no meio do papel.

Alternativamente, você poderia desenhar dois símbolos diferentes, como estes:

De qualquer forma, certifique-se de não usar canetas que se mostrem do outro lado do papel!

Agora, coloque o papel na sua frente e dobre-o da esquerda para a direita, assim.

Depois, dobre a metade traseira do papel dobrado na sua direção, assim.

Agora o papel está dobrado, você pode fingir fazer um pouco de mágica balançando as mãos sobre ele, dizendo algumas palavras mágicas, ou batendo com uma varinha mágica (ou apenas com seu dedo mágico!). Para abrir o papel novamente, comece pelo canto inferior direito.

Com a mão esquerda, pegue o canto da camada superior de papel com o dedo e o polegar. Com a mão direita, pegue o canto da próxima camada embaixo dele.

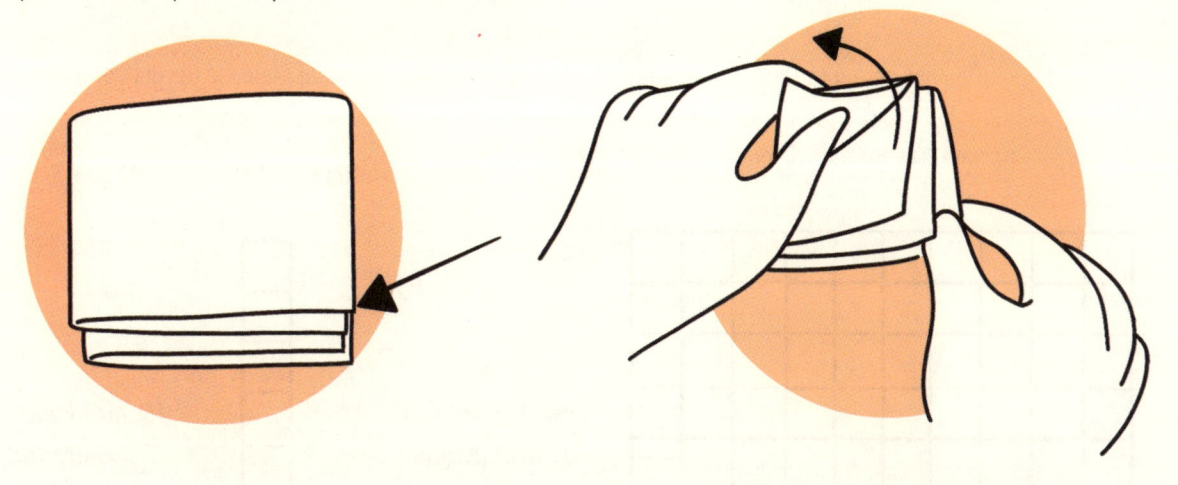

Segurando estes dois cantos, abra rapidamente o papel, e ……

Ta-da! Os pontos trocaram de lugar!

O que está acontecendo?

Quando você abre o papel, na verdade, você o está abrindo da forma oposta à forma como você o dobrou.

A parte de trás do papel dobrado se abre para cima, e todo o pedaço de papel fica virado de cabeça para baixo. É difícil identificar isto, porque você o faz rapidamente. E, como os pontos não têm um "caminho certo para cima", eles apenas parecem ter trocado de lugar.

O ATALHO PERCENTUAL

As porcentagens podem ser complicadas, mas estão prestes a ficar mais fáceis!

"Porcentagem" significa basicamente "por 100" ou "de 100". Assim, por exemplo, 50% (50 por cento) significa metade, porque 50 é metade de cem.

Um problema percentual pode lhe perguntar algo como: "O que é 50% de 10?"

50% é a metade. Portanto, 50% de 10 é 5.

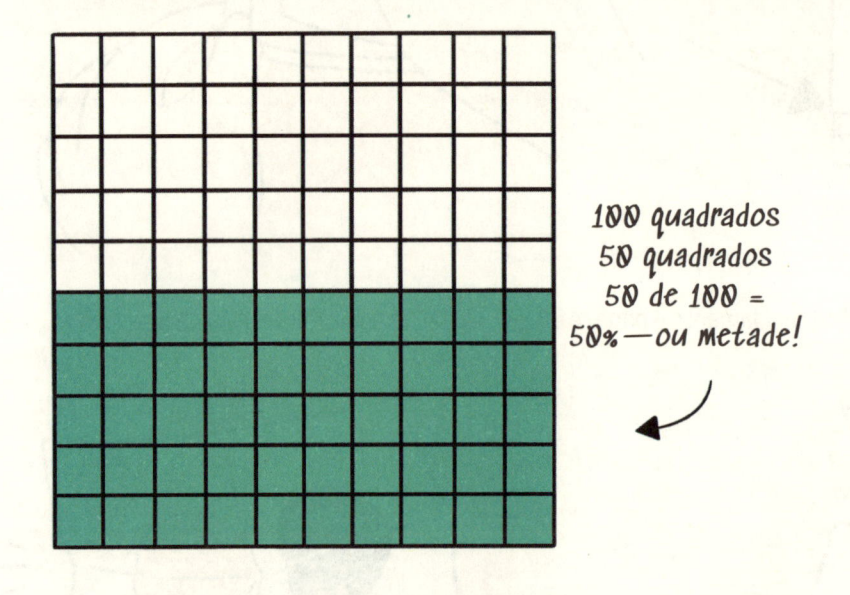

100 quadrados
50 quadrados
50 de 100 =
50% — ou metade!

10 quadrados
5 quadrados
5 de 10 =
50% — ou metade!

Esse exemplo não é muito complicado, mas alguns são mais confusos. Para torná-los mais fáceis, há um truque inteligente que você pode tentar.

O truque

Tudo o que você precisa saber é este fato incrível...
Qualquer porcentagem, como 50% de 10, é a mesma coisa ao contrário! Em outras palavras, 50% de 10 é o mesmo que 10% de 50.

Imagine que você tem este problema para resolver: Quanto é 30% de 50? Isso é bastante difícil. Mas, tente trocar de um lado para o outro e, talvez, seja mais fácil. 30% de 50 é o mesmo que 50% de 30. 50% é a metade. Então, a resposta é a metade de 30, que é 15.

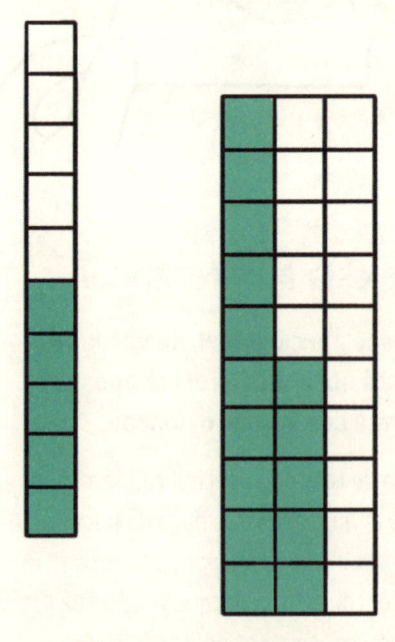

Se 50% de 30 é 15...

...30% de 50 também é 15!

Aqui está outro...

4% de 75? É o mesmo que 75% de 4.

75% são três quartos, e três quartos de 4 é 3.

Portanto 4% de 75 é 3!

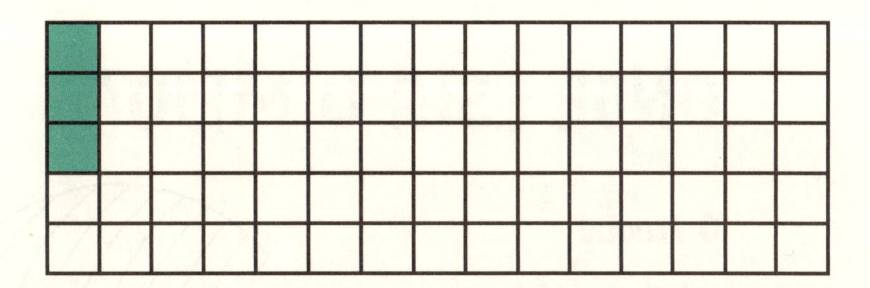

O que está acontecendo?

Pode parecer mágico, mas este truque não é tão estranho quanto parece. Quando você multiplica dois números, não importa em que direção eles estejam.

Por exemplo, 4 x 3 ...

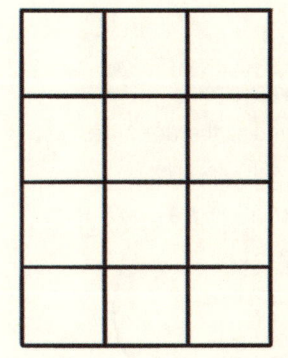

é o mesmo que 3 x 4 ...

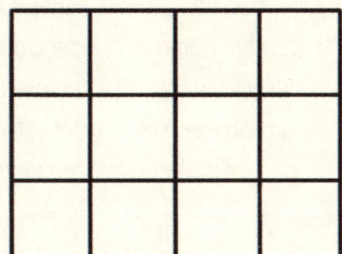

Ambos são a mesma coisa, e ambos são 12.

E uma porcentagem é realmente um tipo de multiplicação. Multiplica-se um número por uma porcentagem.

Por exemplo, 50% = metade.

Você também poderia escrevê-lo como 0,5

0,5 x 10 é o mesmo que 10 x 0,5.

E 50% de 10 é o mesmo que 10% de 50!

Quanto bolo, Ada?

30%, por favor!

ILUSÕES CURIOSAS

Aqui estão duas ilusões óticas legais que você pode usar para enganar seus amigos. As ilusões óticas não têm a ver apenas com seus olhos. Algumas delas, também, estão relacionadas a números e à forma como seu cérebro estima o tamanho, forma e distância. Experimente-as e veja!

ONDE ESTÁ O MEIO?

O truque

Dê uma olhada nesta foto.
Qual ponto você acha que está no meio?

Você pode pensar que é o ponto da direita, mas estaria errado!

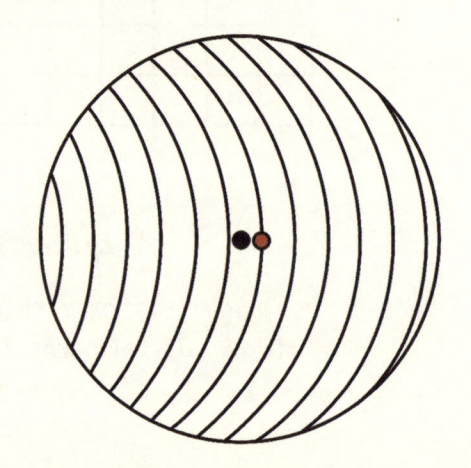

O que está acontecendo?

Esta ilusão engana o senso de espaço e distância de seu cérebro. Para adivinhar onde fica o meio de um círculo, você tenta encontrar o local que tem a mesma quantidade de espaço ao seu redor.

Mas, na ilusão, as linhas curvas fazem parecer como se o espaço do lado esquerdo do círculo fosse menor. Assim, seu cérebro pensa que o meio deve estar mais para a direita do que realmente está!

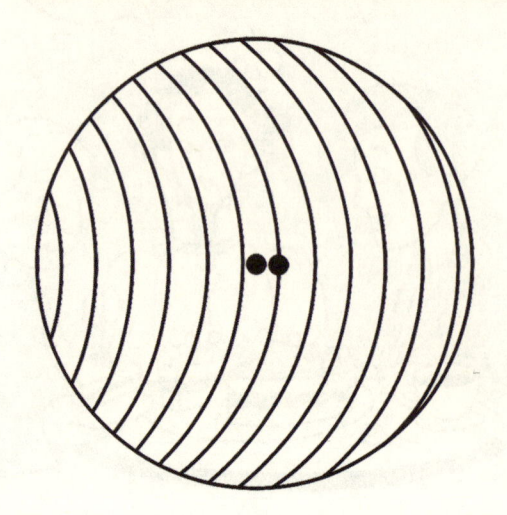

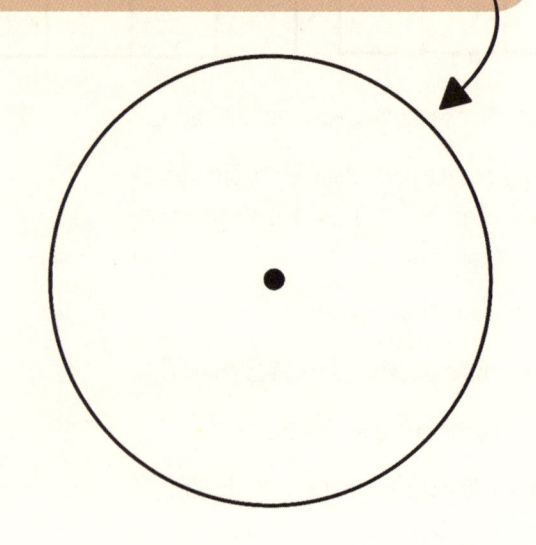

MAIS ALTO OU MAIS LARGO?

O truque

Você acha que o chapéu é...

a) mais alto do que é largo,

ou

b) mais largo do que é alto?

De fato, sua altura e a largura são as mesmas! Mas, a maioria das pessoas veem o chapéu muito mais alto do que é largo.

O que está acontecendo?

Nossos cérebros, geralmente, veem as distâncias verticais como maiores do que as horizontais da mesma largura. Mas por que isso acontece? Pode ser porque, como os humanos têm dois olhos, a visão do mundo da maioria das pessoas tem uma ampla forma oval.

parece mais longa que esta linha...

Para a maioria das pessoas, esta linha...

... apesar de ambas serem iguais.

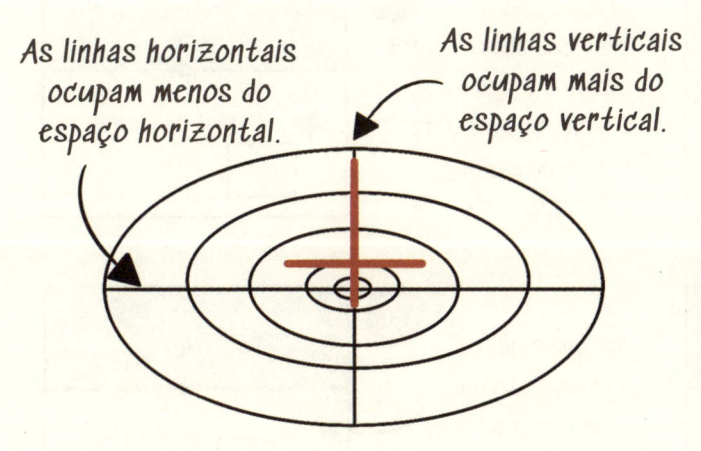

As linhas horizontais ocupam menos do espaço horizontal.

As linhas verticais ocupam mais do espaço vertical.

Isto pode fazer com que as linhas verticais pareçam mais longas. Entretanto, ninguém está realmente certo do motivo.

Pense sobre isso!

Você pode testar a teoria tentando desenhar um quadrado perfeito em papel comum, sem uma régua. Meça-o depois. A maioria das pessoas faz seus quadrados muito largos, porque parecem mais altos do que são!

PERSPECTIVA PERFEITA

Quando as crianças começam a desenhar pela primeira vez, elas podem desenhar uma casa como esta

Mas, um artista pode desenhar uma casa que pareça muito mais 3D e realista, como esta. Eles têm um senso de profundidade e distância, conhecido como perspectiva.

Então, como os artistas fazem os objetos parecerem 3D? Pegue um lápis, e experimente você mesmo este simples truque!

O truque

1 Comece com um pedaço de papel em branco, e desenhe uma linha no meio, assim.

2 Adicione um ponto na linha, em algum lugar perto do meio

3 Desenhe um quadrado ou retângulo em algum lugar abaixo da linha.

4 Trace linhas tênues desde os cantos de seu retângulo até o ponto no horizonte. Estas são as linhas de perspectiva.

5 Desenhe ao longo das linhas para fazer um formato de bloco 3D.

6 Apague as linhas de perspectiva, e você tem o cubo perfeito!

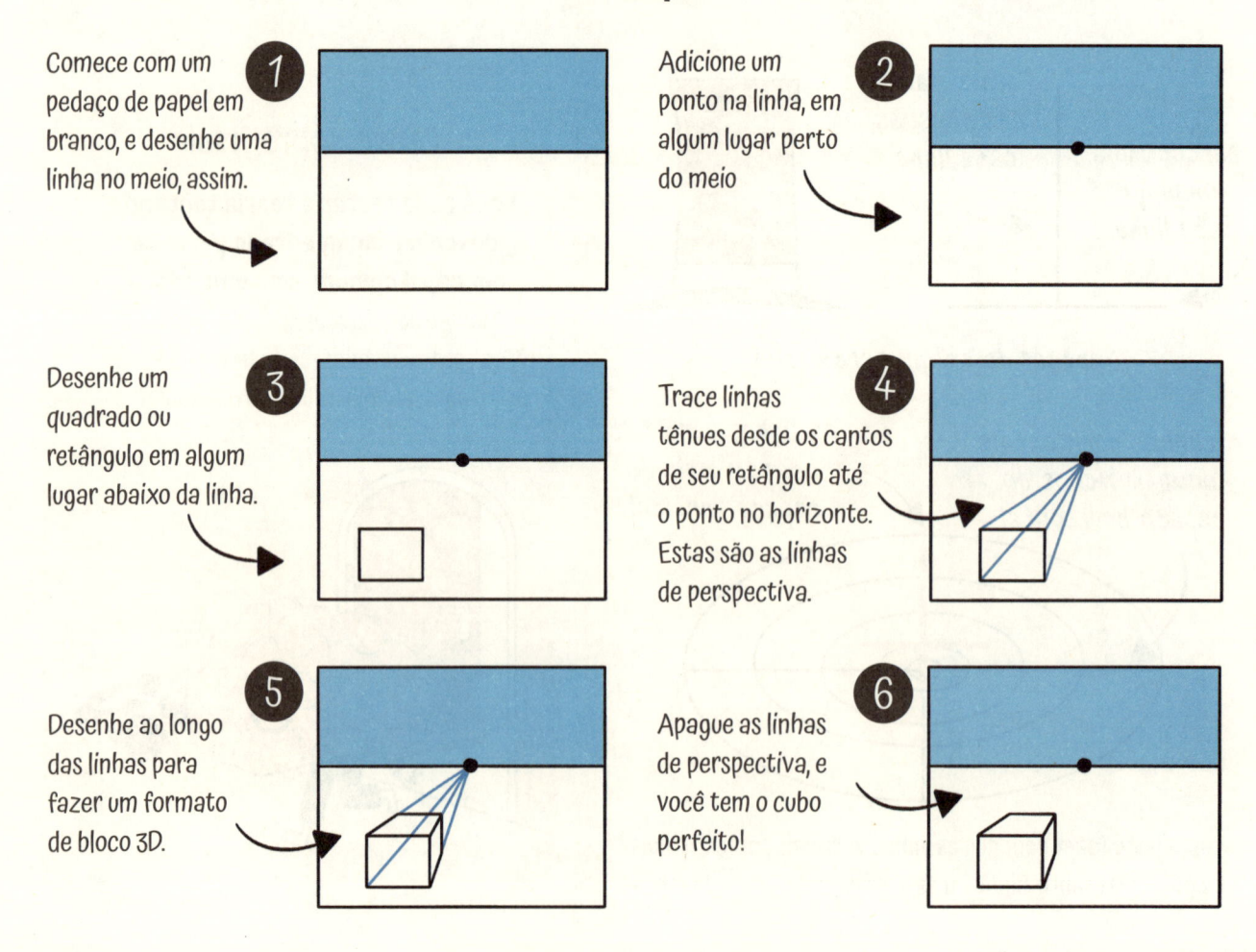

Você pode desenhar quantos blocos quiser da mesma maneira e adicionar detalhes para transformá-los em edifícios, móveis ou outros objetos.

O que está acontecendo?

No mundo real, nós vemos as coisas em 3D. À medida que os objetos se afastam mais de nós, eles parecem menores. E se eles estão suficientemente distantes, parecem desaparecer. Por exemplo, se você estiver em uma rua reta e olhar para a distância, ela parecerá desaparecer em um único ponto, conhecido como "ponto de fuga".

Usando um ponto e linhas de perspectiva, recrie este efeito e faça com que sua imagem pareça 3D!

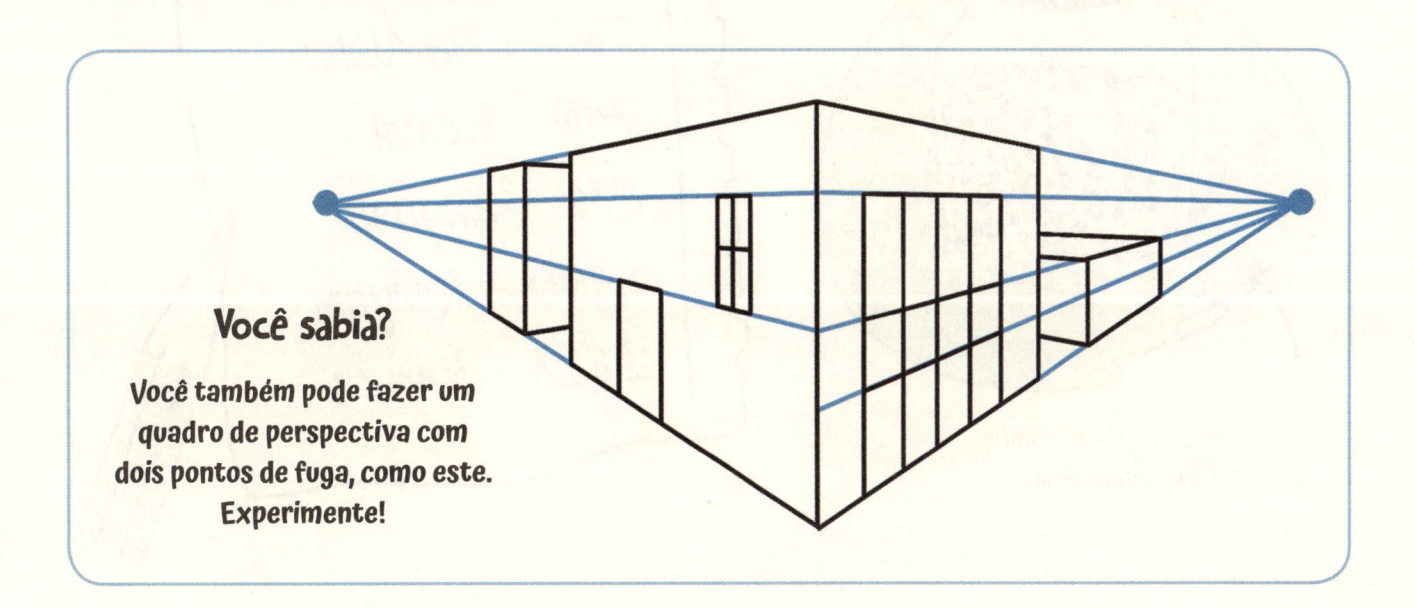

ponto de fuga

Você sabia?

Você também pode fazer um quadro de perspectiva com dois pontos de fuga, como este. Experimente!

A VERDADE MÉDIA

Este truque curioso é uma forma de adivinhar um número desconhecido. Funciona melhor se você tiver muita gente para participar, como uma grande família ou uma classe escolar.
Não é apenas interessante: pode vir a ser útil um dia!

O truque

Para experimentar o truque, você precisa de muitos objetos pequenos, todos aproximadamente do mesmo tamanho, como contas ou botões. Você também precisa de um frasco ou recipiente transparente para colocá-los dentro.

Encha o frasco ou recipiente com seus grânulos ou objetos. Depois, peça a todos para adivinhar quantos são. Todos devem escrever seus palpites, sem dizer a ninguém quais são (para que não copiem uns aos outros!).

Agora, cole todos os palpites, e escreva-os em uma lista, assim:

156 - Mamãe
345 - Pai
361 - Vô
555 - Vó
560 - Tio Tariq
703 - Tia Aisha
740 - Kemal
872 - Zaynah
1.400 - Maryam
2.828 - Hamza

As contas de imagem como estas funcionam bem.

Conte quantas suposições você tem em nossa lista, por exemplo, há 10 suposições. Depois, usando uma calculadora, some todas as adivinhações.

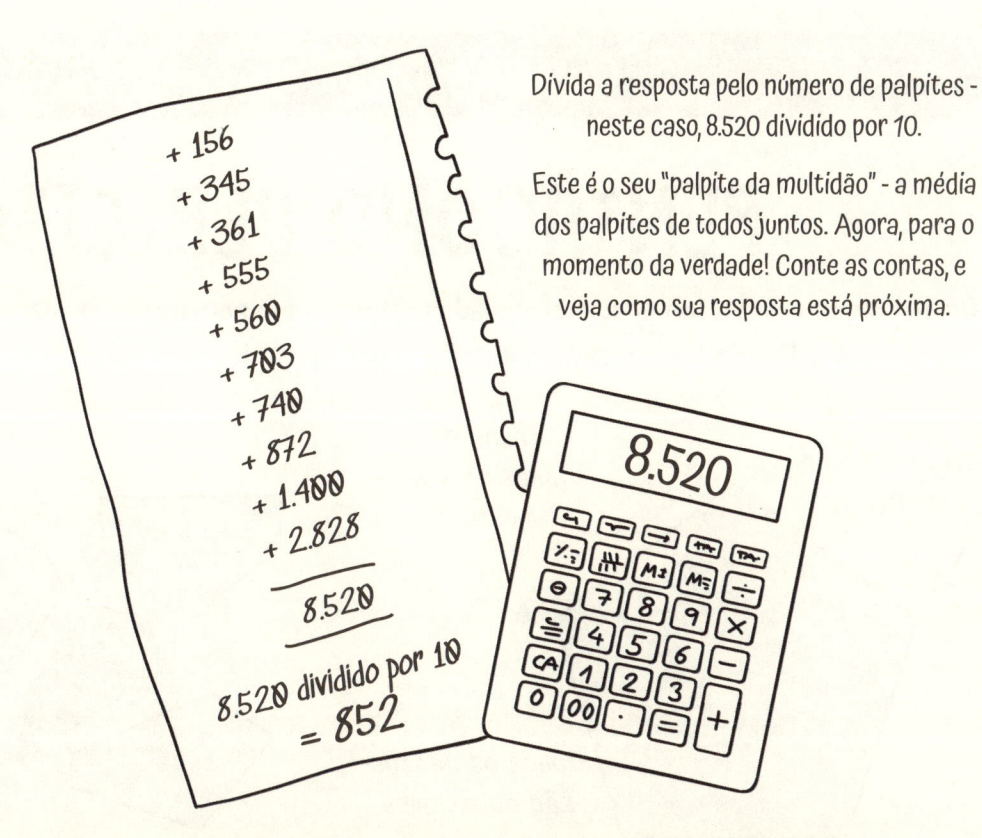

+ 156
+ 345
+ 361
+ 555
+ 560
+ 703
+ 740
+ 872
+ 1.400
+ 2.828
_____
8.520

8.520 dividido por 10
= 852

Divida a resposta pelo número de palpites - neste caso, 8.520 dividido por 10.

Este é o seu "palpite da multidão" - a média dos palpites de todos juntos. Agora, para o momento da verdade! Conte as contas, e veja como sua resposta está próxima.

O que está acontecendo?

Se funcionar, você deve achar que seu "palpite da multidão" é muito bom!
Este truque é chamado de "a sabedoria da multidão". Se muitas pessoas adivinharem um número, a maioria estará errada – mas, a média de seus palpites, provavelmente, estará próxima da resposta certa.

Você sabia?

O matemático genial Francis Galton descobriu este truque em 1906, em uma feira agropecuária inglesa, onde havia um concurso para adivinhar o peso de um boi.

Capítulo 6: Engane seus amigos

PENTÁGONO PERFEITO

Um pentágono é uma forma com cinco lados retos. Em um pentágono regular ou perfeito, os cinco lados têm todos o mesmo comprimento, e os cantos têm todos o mesmo ângulo.

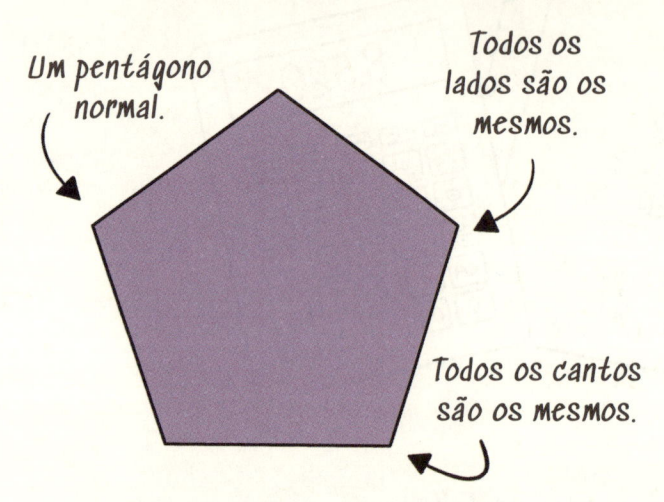

Um pentágono normal.

Todos os lados são os mesmos.

Todos os cantos são os mesmos.

Os pentágonos são formas complicadas. Os quadrados, triângulos e hexágonos são familiares e fáceis de desenhar, mas os pentágonos são muito mais difíceis.

Mas, estes também são todos pentágonos.

Portanto, se você desafiar alguém a dobrar um pedaço de papel em um pentágono perfeito como o acima, ele vai achar isso praticamente impossível! Tente você mesmo, também. Como foi?

O truque

Não tenha medo! Se alguma vez você precisar de um pentágono perfeito em um desafio, na verdade, há um truque rápido, fácil e brilhante para que você o faça em segundos!

Primeiro, meça e corte uma tira reta da borda de um pedaço de papel. Pode ser de qualquer largura, mas cerca de 3 ou 4 cm de largura é o mais fácil de começar.

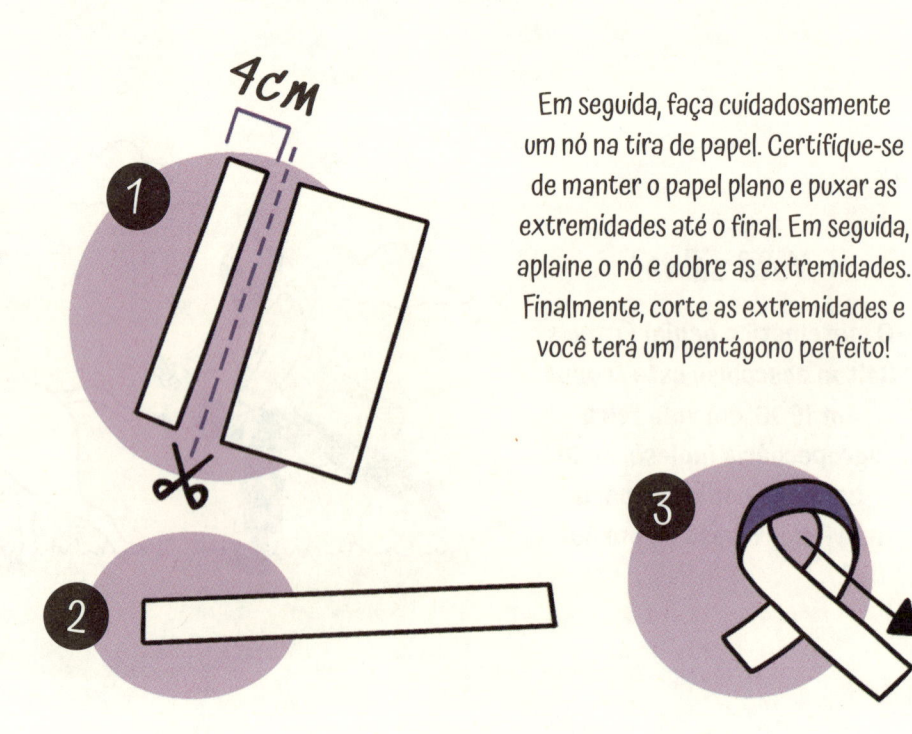

① 4CM

②

Em seguida, faça cuidadosamente um nó na tira de papel. Certifique-se de manter o papel plano e puxar as extremidades até o final. Em seguida, aplaine o nó e dobre as extremidades. Finalmente, corte as extremidades e você terá um pentágono perfeito!

③

Dobrar

Dobrar sobre

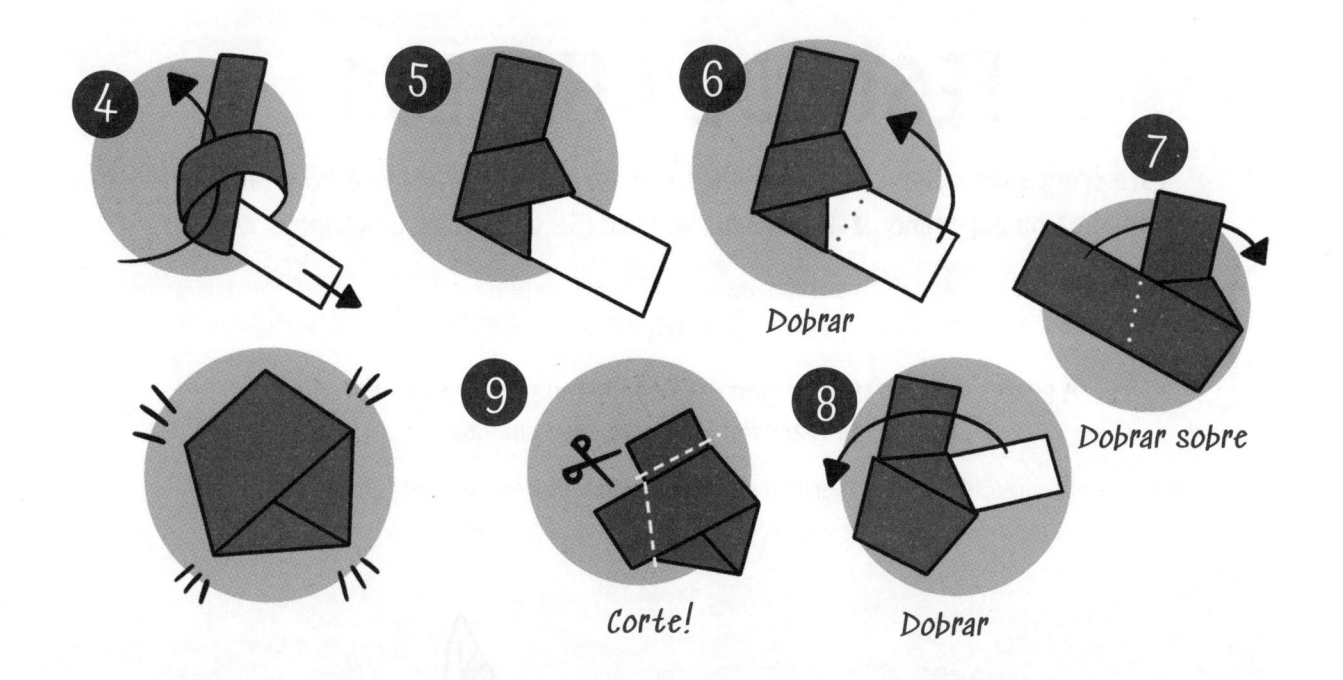

Corte!

Dobrar

O que está acontecendo?

Isto funciona porque, para fazer um nó, o papel tem que se dobrar sobre si mesmo num ângulo de 108° - o mesmo ângulo dos cantos de um pentágono perfeito.

Agora, você pode fazer tantos pentágonos quantos quiser, grandes e pequenos!

Você sabia?

É realmente possível dobrar um pedaço quadrado de papel de forma especial para fazer um pentágono perfeito. Mas é difícil, e leva séculos, então, você precisaria ser um pouco especialista em origami para fazê-lo.

FESTA DE CHAPÉUS

Este truque do chapéu parece simples, mas faz você pensar! Você pode montar na página ou experimentá-lo em seus amigos. (Se você tiver os chapéus certos!)

O truque

A professora Hattie Hexagon está dando uma festa de aniversário. Ela decide fazer um jogo com seus convidados.

Ela diz a seus amigos Maryam e Terry para se sentarem de frente um para o outro e mostra-lhes que tem três chapéus de festa - dois vermelhos e um preto.

Depois, ela diz a eles para fecharem os olhos e coloca um chapéu vermelho na cabeça de cada um.

(Ela esconde o preto para que eles não possam vê-lo).

Quando eles abrem os olhos, Maryam e Terry podem ver os chapéus um do outro, mas não podem ver seus próprios chapéus. Eles têm que adivinhar qual chapéu estão usando, mas não podem dizer um ao outro ou fazer qualquer pergunta. O primeiro a acertá-lo é o vencedor! Maryam e Terry olham um para o outro e pensam um pouco. Depois, de repente, ambos gritam: "Meu chapéu é vermelho"! Como eles souberam?

O que está acontecendo?

Maryam olha para Terry e vê que ele tem um chapéu vermelho. Isso significa que seu chapéu pode ser vermelho ou preto, porque havia dois chapéus vermelhos e um chapéu preto para começar. Mas, a esperta Maryam percebe que se ele tivesse um chapéu preto, Terry teria gritado imediatamente que ele tinha um chapéu vermelho - porque havia apenas um chapéu preto. Isso significa que ele deve ter um chapéu vermelho! Terry também é esperto, e ele descobre a mesma coisa exatamente ao mesmo tempo. É um empate!

Você sabia?

Você pode fazer brincadeiras de chapéu como esta com três ou mais pessoas, e diferentes números e tons de chapéu. Experimente e veja o que acontece!

AS OVELHAS DO FAZENDEIRO

Experimente você mesmo este quebra-cabeças de carneiros, depois veja se seus amigos podem resolvê-lo!

O truque

O fazendeiro Formula adora suas 24 ovelhas. Ele as mantém em oito currais, dispostos ao redor de sua fazenda.

A casa da fazenda é quadrada, com uma janela em cada parede. Como ele também adora números, arranjou as ovelhas de modo que, seja qual for a janela de onde ele olhe, sempre pode ver nove ovelhas.

Para seu aniversário, o amigo do fazendeiro Formula, o fazendeiro Fração, dá a ele uma nova ovelha.

"Hmm", pensa o fazendeiro Formula. "Tenho que colocar minha nova ovelha em um dos meus oito currais". Mas, ainda quero ver apenas nove ovelhas de cada janela". Como ele pode fazer isso?

Para ajudar você a descobrir a resposta, você poderia desenhar no papel, assim:

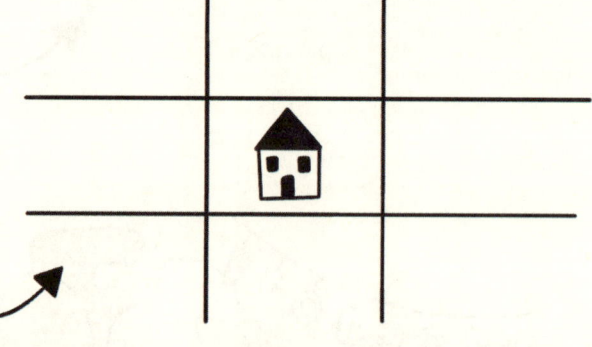

O que está acontecendo?

Pode ser feito! Mas, para que funcione, o fazendeiro Formula tem que mover algumas das outras ovelhas também. Aqui está uma resposta possível – mas, pode haver outras.

E moveu uma ovelha deste curral... para este curral

O fazendeiro colocou suas novas ovelhas neste curral.

OS PORCOS DO FAZENDEIRO

O truque

Enquanto isso, o fazendeiro Fração também tem um problema de criação de animais.

Ela quer colocar seus nove porcos em quatro chiqueiros, de modo que haja um número ímpar de porcos em cada um.

Como ele pode fazer isso?

Desenhe os chiqueiros e os porcos no papel para ajudá-lo a descobrir.

O que está acontecendo?

Depois de um tempo confuso sobre o problema, o fazendeiro Fração percebe que há uma maneira sorrateira de resolvê-lo. Ela constrói três chiqueiros e coloca três porcos (um número ímpar) em cada um deles ...

Em seguida, ele constrói um quarto ao redor de todos eles! Ele contém nove porcos, o que também é um número ímpar.

Ela poderia fazer isso de outras maneiras, como esta!

Você consegue pensar em mais alguma coisa?

111

CORTANDO O BOLO

Ada, Albert e Alan estão dando outra festa! Desta vez, eles têm um bolo para compartilhar.

O truque

Eis o desafio para tentar com seus amigos.
Eles vão pirar quando descobrirem como fazer isso!

Há 8 matemáticos na festa. Todos eles querem um pedaço de bolo, e todos os pedaços de bolo têm que ser exatamente do mesmo tamanho e forma. Fácil, você pode pensar!

Você precisaria de quatro cortes para dividir em fatias como esta:

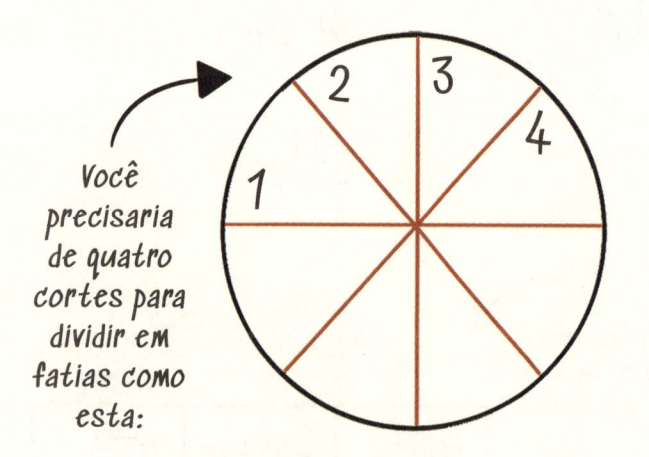

Mas, eles criaram um desafio... eles devem cortar o bolo em 8 pedaços iguais, mas só podem cortá-lo três vezes no total.

Para cortar oito fatias iguais como esta, eles teriam que fazer quatro cortes. Como eles podem fazê-lo com apenas três?

O que está acontecendo?

Você já descobriu? A resposta é simples. Você só precisa pensar lateralmente! Lateralmente significa "lateralmente" - e é assim que eles têm que cortar o bolo.

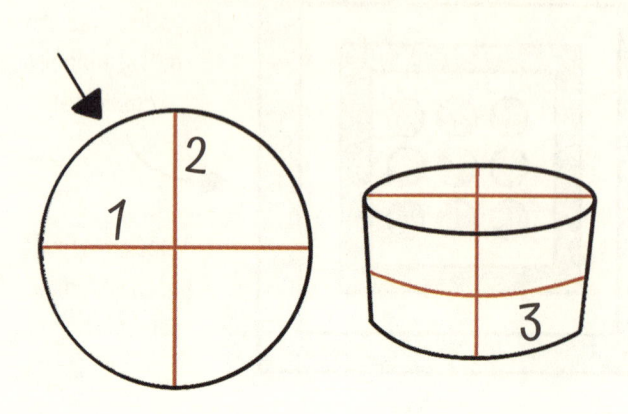

QUEM FOI DE BALÃO?

Aqui está mais uma pegadinha que vai desconcertar seus amigos!

O truque

Millie Mathburger chama Bill's Balloons para reservar um passeio de balão para sua família.

"Há três mães, cinco filhas, uma avó, três netas, quatro irmãs e três primas", diz Millie.

"Oh, querida", diz Bill. "Temo que haja apenas seis espaços no balão".

"Tudo bem", diz Millie. "Vamos caber perfeitamente"!

Você consegue descobrir como?

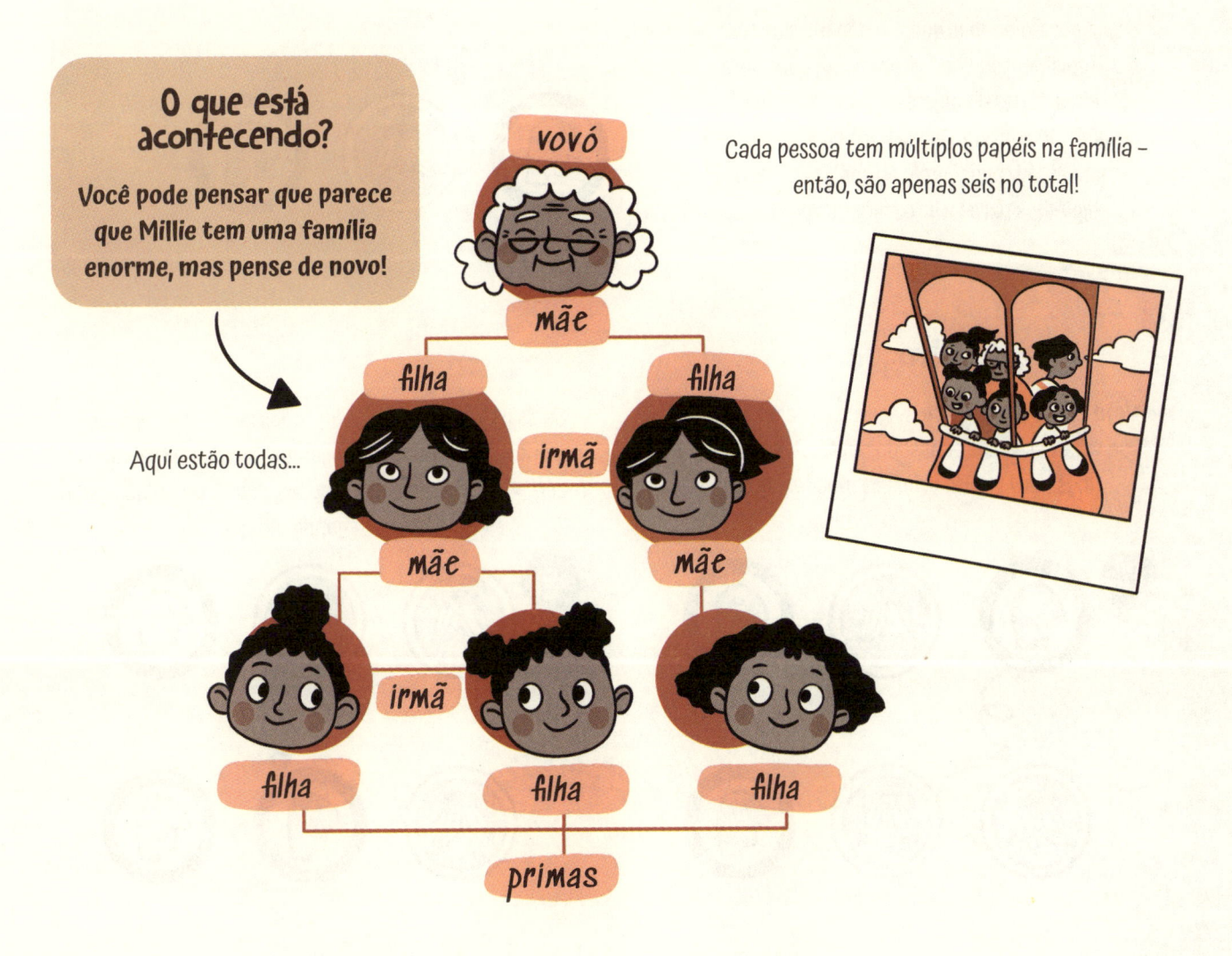

O que está acontecendo?

Você pode pensar que parece que Millie tem uma família enorme, mas pense de novo!

Aqui estão todas...

Cada pessoa tem múltiplos papéis na família – então, são apenas seis no total!

113

TRUQUE DE CARA E COROA

Imagine seu público com este truque de espantar!
Primeiro, peça para alguém vendá-lo e coloque três moedas na sua frente.

Agora, peça-lhes para virar as moedas para fazer uma fila de cara e coroa. Pode ser em qualquer ordem que eles queiram, desde que não sejam todas caras ou todas coroas. Por exemplo, eles podem arranjar as moedas desta maneira:

Agora, diga-lhes que, em não mais de três movimentos, você virará as moedas para cima, todas do mesmo modo - mesmo que você não consiga vê-las! Para provar que você não está trapaceando ao sentir as moedas, diga-lhes para virar as moedas para você.

O truque

Veja como fazer isso. Segure sua cabeça, como se você estivesse pensando muito. Depois, diga-lhes para virar a primeira moeda da fila.

Se as moedas agora forem todas iguais, eles ficarão espantadas! Mas, se não, digamos: "Ainda há trabalho a fazer!" Concentre-se nas moedas, depois peça-lhes para virar a segunda moeda.

Se as moedas agora são todas iguais, faça uma reverência! Mas, se não, diga: "Este é um desafio complicado". Terei que usar minha terceira e última jogada"! Aja como se você estivesse convocando todo o seu poder cerebral para uma grande decisão. Então, peça-lhes que virem a primeira moeda novamente.

O que está acontecendo?

Este truque legal funciona porque existem apenas seis padrões possíveis para as moedas, e sua estratégia funcionará para todas elas.

Se for um desses dois padrões, então, virar a primeira moeda funciona.

Se for um destes dois padrões, então, virar a primeira moeda e a segunda moeda funcionará.

E se for um destes dois padrões, você precisa virar a primeira moeda, então, a segunda moeda e, por fim, a primeira moeda novamente!

Ta-da!

O QUE NÃO COMBINA

Este truque astuto da moeda vai confundir todos os seus amigos. Você não precisa de nenhuma moeda de verdade – apenas o poder de sua mente! Aqui está o desafio:

Você tem nove moedas de ouro – ou pelo menos é o que parece.

No entanto, uma delas é falsificada e pesa um pouco menos que as outras.

Você não pode perceber a diferença pela aparência ou sensação das moedas. Você só pode perceber pesando-as com um conjunto de balanças antiquadas, como esta:

A balança está perfeitamente equilibrada.

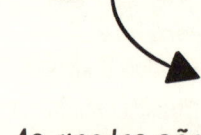

As moedas são colocadas nas bandejas de cada lado. Se um dos lados for mais pesado, ele afundará.

Entretanto, você só pode usar a balança duas vezes no total. Como você descobre qual é a moeda falsificada?

O truque

Obviamente, você poderia pesar cada uma das moedas, mas isso, provavelmente, exigiria muito mais do que duas tentativas. Felizmente, há uma solução ...

Dividir as nove moedas em três pilhas.

Coloque de lado uma pilha e coloque as outras duas pilhas sobre a balança.

Se uma moeda é mais leve, é a falsificada.
Se ambas forem iguais, a outra moeda é a falsificada!

Se uma pilha for mais leve, essa pilha contém a falsificação. Se ambas forem iguais, a outra pilha (aquela que você não pesou) contém a falsificação. Agora, pegue a pilha que contém a falsificação, e simplesmente repita o processo! Coloque uma moeda de lado e coloque as outras duas na balança.

Simples!

O que está acontecendo?

Desde que você possa dividir suas moedas em três grupos iguais, você pode usar este método para encontrar o grupo mais leve. Portanto, se você tiver três moedas, você só precisa usar a balança uma vez. Se você tiver nove moedas, você precisa usá-la duas vezes.

E se você pudesse usar a balança três vezes? Você poderia encontrar a falsificada em 27 moedas! Você coloca as moedas nas bandejas de cada lado.

Encontre a falsificação!

DESENHAR ATRAVÉS DOS PONTOS

Aqui está um simples desafio de desenho de linhas que foi projetado para enganar seus amigos!

O truque

Primeiro, desenhe uma grade de nove pontos, como esta:

Seu desafio é desenhar quatro linhas retas, sem levantar o lápis do papel, para que as linhas passem por TODOS os pontos. (Você também não pode dobrar o papel!)

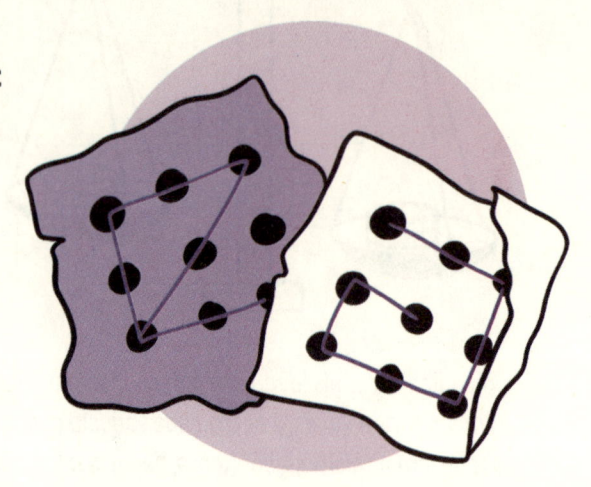

As pessoas, muitas vezes, pensam que não podem fazer isso com menos de 5 linhas. Mas, você pode...

O que está acontecendo?

Você precisa pensar fora da caixa!
Para que funcione, basta fazer com que suas linhas sejam mais longas, para que elas ultrapassem as bordas da grade. Aqui está uma solução...

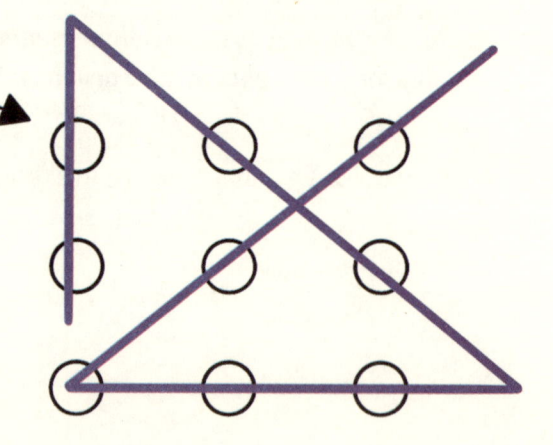

Você sabia?

Se você for realmente inteligente, pode fazer isso com apenas TRÊS linhas. (Ajuda se seus pontos forem bons e grandes!).

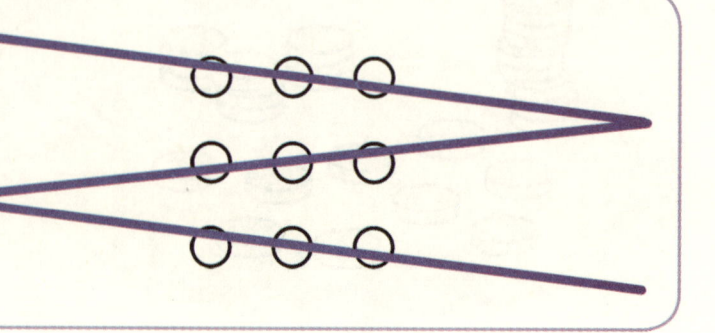

FORA DO POÇO

Um rato caiu em um poço profundo, com lados viscosos e escorregadios. Por sorte, o rato não está ferido e o poço está vazio. Mas, ele precisa sair!

O truque

A cada minuto, o rato pode rastejar 30 passos pela parede. Mas, então, ele tem que parar e descansar por mais um minuto, e desliza de volta para baixo, 20 passos.

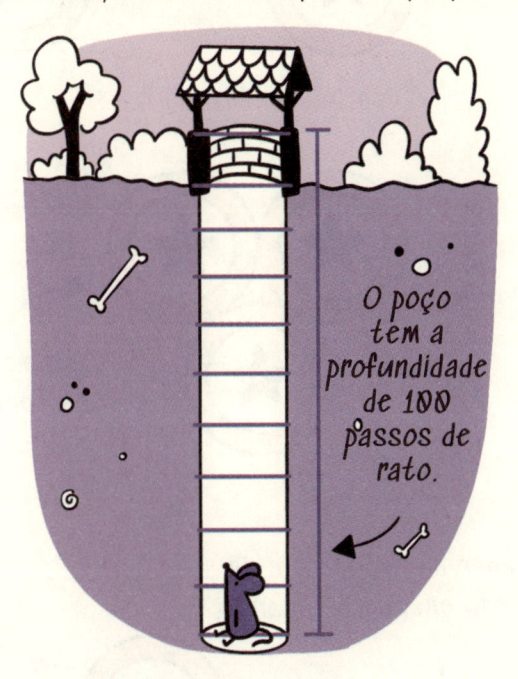

Quantos minutos leva para o rato sair do poço? Veja se você ou seus amigos conseguem acertar!

O poço tem a profundidade de 100 passos de rato.

Você pensou que o rato levaria 20 minutos?

Ou você obteve a resposta certa?

O que está acontecendo?

A cada dois minutos, o rato sobe 30 passos de rato e desce 20 passos de rato.

Então, você pode pensar que ele sobe 10 passos de rato a cada dois minutos... e leva 20 minutos para subir 100 passos de rato. Mas, lembre-se, uma vez que ele chega ao topo, não precisa parar e descansar.

Tempo total necessário: 15 minutos.

Após 14 minutos, o rato subiu 70 passos de rato.

Mas, no minuto seguinte, ele sobe 30 passos de rato, e consegue chegar ao topo!

AS MOEDAS EM CONTATO
ENIGMA DE QUATRO MOEDAS

Este truque soa incrivelmente simples. Quando você desafiar seus amigos ou família a fazê-lo, eles provavelmente dirão "Isso é fácil"! Mas, quanto tempo eles levarão para realmente decifrá-lo?

Com três moedas, é fácil.

O truque

Você precisa de quatro moedas redondas, todas do mesmo tipo e tamanho, e uma mesa plana. O desafio é arranjar as moedas de modo que todas elas se toquem. Em outras palavras, cada moeda tem que estar tocando todas as outras moedas.

Cada moeda está tocando as outras duas.

Mas, quatro moedas não funcionam da mesma maneira.

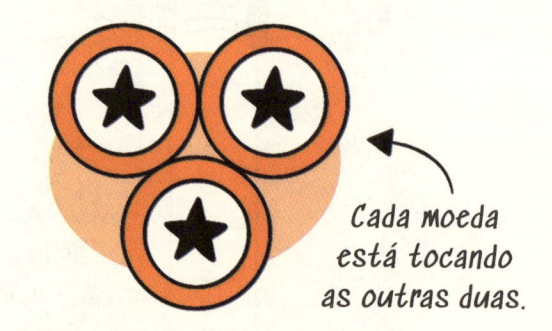

Isto não está certo. Cada moeda só toca em duas outras, não em todas as três.

As moedas da esquerda e da direita não estão se tocando.

O que está acontecendo?

Então, é impossível? Claro que não! Em vez de colocar todas as moedas na mesa, coloque uma em cima das outras três e elas estão todas se tocando!

CINCO MOEDAS DE RACHAR O CÉREBRO!

OK, talvez seus amigos tenham achado isso fácil.
Se assim for, eles precisam de um desafio mais difícil!

O truque

Desta vez, você tem que fazer a mesma coisa, mas com **cinco moedas**. Como na versão de quatro moedas, você pode colocá-las uma em cima da outra. Mas, como?

O que está acontecendo?

Algumas pessoas podem simplesmente desistir desta, mas há uma maneira.

1 Coloque uma moeda sobre a mesa.

2 Coloque mais duas em cima, lado a lado, para que elas se toquem no meio.

3 As duas últimas moedas estão de pé nas laterais, na moeda de baixo, mas tocando as outras duas também. Incline uma para a outra, de modo que se toquem no meio. Agora cada moeda está tocando todas as outras!

EUREKA!

DESAFIO DE PREENCHIMENTO DE PADRÕES

Este desafio é um dos mais famosos quebra-cabeças da matemática. Primeiro, experimente você mesmo e, depois, coloque seus amigos em uma tarefa impossível.

O truque

Para começar, você precisa de um padrão de contorno composto de muitas formas, como este.

Você pode copiar um destes em papel...

Ou você pode procurar um na internet e imprimi-lo. Mapas de esboço mostrando muitos países, ou condados ou estados, são uma boa opção, como este mapa da África.

O desafio é preencher as formas no padrão, usando diferentes tonalidades de canetas ou marcadores, de modo que nunca haja duas formas com a mesma tonalidade uma ao lado da outra.

Elas podem tocar uma na outra em um ponto, assim:

Mas, não pode haver duas tonalidades iguais em ambos os lados de uma linha, como esta:

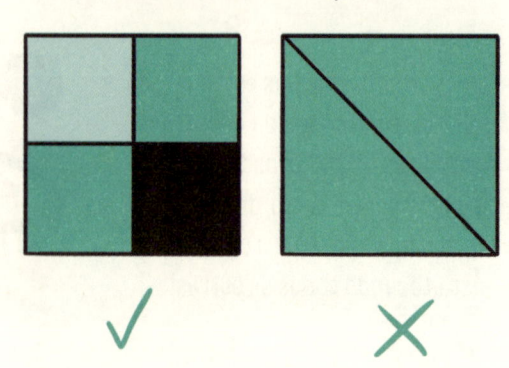

Ou, simplesmente, desenhe um padrão você mesmo - você pode usar as formas que quiser.

O mais importante de tudo é que você tem que fazê-lo usando a menor quantidade possível de canetas diferentes. Qual é o menor número com o qual você pode completar o desafio?

Dica: Se você não tiver muitos marcadores ou canetas, poderia usar padrões, tais como listras, pontos e ziguezagues.

O que está acontecendo?

Se você fez isso usando não mais do que quatro canetas diferentes, parabéns!

Os matemáticos mostraram que você pode preencher qualquer padrão de acordo com estas regras com um máximo de quatro tonalidades diferentes.

É claro, alguns padrões simples não precisam de quatro...

Mas, mesmo os padrões mais complicados nunca precisam de MAIS de quatro.

Para desafiar seus amigos, peça-lhes para ver se podem preencher um dos padrões com apenas três canetas diferentes.

Ou, desafie-os a desenhar um padrão para você preencher que precise de mais de quatro canetas. Eles não serão capazes de fazê-lo!

Um tabuleiro de xadrez é um bom exemplo.

123

CRUZANDO O RIO

Finalmente, para este famoso quebra-cabeças, a vida de um coelho depende de você!

O truque

A gênia matemática Aisha Abacus tem um problema delicado.

Ela precisa cruzar ela mesma, uma raposa, um coelho e um saco de cenouras através de um rio, usando seu pequeno barco. Por quê? Quem sabe!

O problema é que seu barco é tão pequeno que ela só consegue encaixar duas coisas nele de cada vez - ela mesma e um outro animal ou objeto. E ela tem que estar no barco, porque raposas e coelhos não podem remar. Ela pode atravessar o rio tantas vezes quanto necessário para atravessar todos. Mas, ela não pode deixar a raposa sozinha com o coelho, ou o coelho será comido. E ela também não pode deixar o coelho sozinho com as cenouras, porque o coelho comerá as cenouras.

Como ela faz isso? E quantas vezes ela precisa atravessar o rio? Você consegue descobrir? Se você pode - ou uma vez que você der uma olhada na resposta - tente com outra pessoa!

O que está acontecendo?

O quebra-cabeças pode ser resolvido – mas, somente se o coelho cruzar o rio mais de uma vez. Aqui está a solução.

Aisha leva o coelho para o outro lado, deixando as cenouras com a raposa.

Ela faz a travessia sozinha.

Agora ela leva a raposa para o outro lado.

Ela faz a travessia de volta com o coelho.

Ela leva as cenouras para o outro lado e as deixa com a raposa novamente.

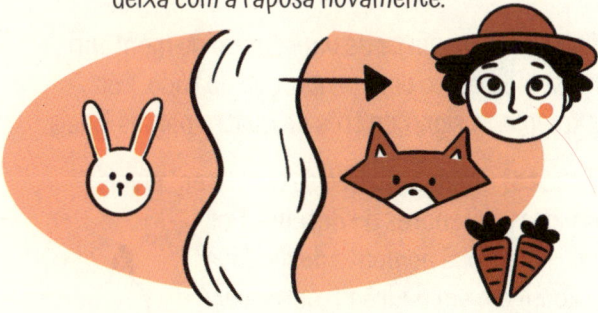

Ela faz a travessia de volta sozinha.

Finalmente, ela leva o coelho para o outro lado.

São sete travessias no total!

Simples!

GLOSSÁRIO

Ábaco Uma moldura com contas dispostas em filas, usada para fazer cálculos.

Ângulo reto Um ângulo de 90°, tal como o canto de um quadrado.

Chave de encriptação Um número ou outra peça de informação necessária para descodificar informações codificadas.

Circunferência A distância ao redor da borda de um círculo.

Compasso Um instrumento com uma ponta e um porta-lápis, usado para desenhar círculos.

Constante Um valor ou número que permanece sempre o mesmo, como o Pi.

Crescimento exponencial O que acontece quando um número ou quantidade cresce cada vez mais rápido, levando rapidamente a um número muito alto.

Criptografia O processo de conversão de uma mensagem ou outra informação em código.

Desenho anamórfico Um desenho que é esticado para que pareça normal quando visto de um ângulo particular.

Deslocar para Empurrar para fora do caminho.

Diâmetro A distância através do meio de um círculo.

Dígito Um único símbolo de número inteiro. Os dígitos que normalmente usamos em matemática são 1, 2, 3, 4, 5, 6, 7, 8, 9 e 0. Os dígitos são combinados para fazer outros números maiores.

Engenheiro Alguém que projeta, constrói ou conserta máquinas, motores ou estruturas, tais como pontes.

Engrenagem Uma roda ou cilindro com peças (ou "dentes") para fora ao redor da borda, usado para travar em outra engrenagem, de modo que uma gire a outra.

Estrela mágica Uma forma de estrela composta de números, na qual todas as linhas retas se somam ao mesmo número.

Eureka! Antigo grego para "Eu o encontrei".

Fórmula Uma regra ou conjunto de regras que podem ser aplicadas para levar a um resultado particular.

Fração Uma parte de um número ou montante, mostrado como uma proporção do todo. Por exemplo, ¾ significa três de quatro partes iguais.

Fractal Um padrão que se repete em níveis maiores e menores de detalhe. Por mais que você aumente ou diminua o zoom em um padrão fractal, você verá o mesmo padrão.

Graus (°) Uma unidade usada para medir ângulos ou dividir círculos em segmentos. Há 360° em um círculo completo. Um ângulo reto (o canto de um quadrado) é um ângulo de 90°.

Hexágono Uma forma com seis lados retos.

GLOSSÁRIO

Horizontal Uma linha ou forma que vai de um lado para o outro, como o horizonte.

Ilusão ótica Uma imagem que confunde ou engana o cérebro para ver algo diferente da realidade.

Infinito A ideia de algo que é infinito, e que não tem limite. Os números são infinitos, porque não pode haver um número maior.

Matemático Um especialista em matemática.

Média O valor médio ou típico de um grupo de números, encontrado pela adição dos números juntos e, depois, dividido pela quantidade de números do grupo.

Möbius Uma tira de papel ou outro material feito em loop com meia torção.

Número decimal Um número entre dois números inteiros, com parte do número escrita após um ponto decimal, tal como 1,6 ou 3,75.

Número hexagonal Um número de pontos que podem ser dispostos em um padrão para fazer uma forma hexagonal.

Número inteiro Um número completo, como 3, 10 ou 200, em vez de uma fração, ou número decimal, como 3 ½ ou 3,5.

Número primo Um número que só pode ser dividido por si mesmo e 1, como 17.

Número quadrado Um número que é outro número multiplicado por si mesmo, como por exemplo 9 (que é 3 x 3). Um número quadrado de pontos pode ser arranjado em um padrão quadrado.

Número triangular Um número de pontos que podem ser dispostos em um padrão para fazer uma forma triangular.

Pentágono Uma forma com cinco lados retos.

Perspectiva A forma como o mundo olha de um determinado ângulo, com objetos mais distantes parecendo menores.

Pi Um número decimal, aproximadamente 3,141592, que é o resultado da divisão da circunferência de qualquer círculo por seu diâmetro.

Poliedro Uma forma 3D com superfícies planas, bordas retas e cantos pontiagudos.

Polígono Uma forma com lados retos, como um triângulo, quadrado ou hexágono.

Porcentagem Uma fração ou parte de um todo, mostrada como uma proporção de 100. Por exemplo, 25 por cento significa um quarto, pois é um quarto de 100.

Prova Uma demonstração que mostra que uma ideia ou teoria em matemática é verdadeira.

GLOSSÁRIO

Quadrado mágico Um quadrado de números no qual todas as linhas horizontais, verticais e diagonais se somam ao mesmo número.

Raio A distância do meio até a borda de um círculo.

Rede Um padrão ou forma plana que pode ser recortada, e dobrada para fazer uma forma 3D.

Regular Em uma forma regular, todos os lados ou superfícies, e os ângulos entre eles, são os mesmos.

Semicírculo Um meio-círculo.

Sequência Uma série de números que seguem uma regra que prevê qual será o próximo número.

Simetria rotacional Uma forma que ainda parece a mesma depois de ter girado para uma posição diferente.

Simétrico Uma forma simétrica é a mesma em ambos os lados - um lado é uma imagem espelhada da outra.

Sistema de contagem Binário A baseado em 2, ao invés do habitual sistema base 10 (ou decimal).

Tesselar Uma forma que pode tesselar é aquela que ladrilha ou se encaixa infinitamente.

Triângulo equilátero Um triângulo que tem todos os três lados de igual comprimento.

Triângulo mágico Uma forma triangular composta de números, na qual todas as linhas retas se somam ao mesmo número.

Vertical Uma linha ou forma que sobe e desce, como um poste de luz.

Volume A quantidade de espaço que um objeto ocupa.